G000068528

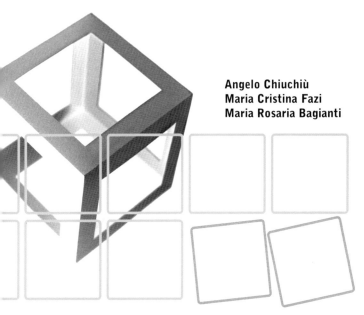

Angelo Chiuchiù
Maria Cristina Fazi
Maria Rosaria Bagianti

I VERBI ITALIANI
REGOLARI E IRREGOLARI

Guerra Edizioni

I edizione
© Copyright 1983
Guerra Edizioni - Perugia

II edizione
© Copyright 2007
Guerra Edizioni - Perugia

ISBN 978-88-557-0015-3

5.   4.   3.   2.   1.
2011 2010 2009 2008 2007

Stampa
Guerra guru s.r.l. - Perugia

Guerra Edizioni
via Aldo Manna, 25 - Perugia (Italia)
tel. +39 075 5289090 ·
fax +39 075 5288244
e-mail: info@guerra-edizioni.com
www.guerra-edizioni.com

Gli inchiostri sono del pittore
Franco Venanti.

Introduzione

Nel compilare questo manuale rivolto a discenti stranieri che si accingono allo studio della lingua italiana, si è cercato di fornire un mezzo che aiuti a far apprendere i verbi italiani rapidamente, proponendoli nel modo più chiaro possibile.

È a tutti noto che il verbo è l'elemento indispensabile di ogni discorso; l'origine stessa ne dice l'importanza: *verbo* viene dal latino *verbum* che vuol dire parola. È perciò la parola per eccellenza. Di conseguenza, una esatta conoscenza ed una esatta produzione delle varie forme verbali sono essenziali per poter capire e farsi capire in una lingua straniera seconda, raggiungendo così il traguardo oggi comunemente indicato con l'espressione: "competenza comunicativa".

Per la scelta dei verbi irregolari da presentare, si sono scrupolosamente consultate le più aggiornate liste di frequenza basate sul "Vocabolario Fondamentale della Lingua Italiana" di A. Giuseppe Sciarone e si sono elencati e presentati in ordine alfabetico tutti i verbi irregolari con un alto indice di frequenza.

Ogni verbo con la sua coniugazione viene proposto in una "scatola" in cui lo studente trova i tempi: Presente – Presente Progressivo – Imperfetto – Passato Prossimo – Passato Remoto – Futuro dell'indicativo, il tempo Presente del Condizionale, i tempi Presente e Imperfetto del Congiuntivo, il tempo Presente dell'Imperativo non *da soli*, ma inseriti in una frase situazionale, certamente non considerando tutti i valori semantici del verbo, ma quello che si è ritenuto il più comune nella lingua parlata.

Per dare un quadro il più possibile completo dei tempi, si sono presentati anche l'Imperfetto Indicativo e il Condizionale Presente anche se, in questi casi, la situazione non può considerarsi completamente compiuta. Non si sono volute dare solamente le forme verbali ma presentarle in una micro-situazione.

Nella coniugazione dei verbi si sono tralasciati i pronomi soggetto che precedono le voci verbali di tutti i tempi perché nella lingua italiana non sono normalmente usati. Sono stati messi solamente nel Presente e nell'Imperfetto del Congiuntivo in quanto, presentando ciascuno di questi due tempi alcune voci uguali, i pronomi personali soggetto sono indispensabili per la chiarezza della frase. Si è inoltre evidenziato che le voci verbali del Congiuntivo sono di solito dipendenti da un altro verbo che esprime soggettività come Pensare – Credere – Temere – Supporre – Desiderare ecc..

Per quanto riguarda l'Imperativo di alcuni verbi (p.e. il verbo "Cadere"), sempre per presentare una situazione il più possibile aderente ad un messaggio reale e ricordando che generalmente con l'Imperativo si vuole esprimere un comando o un'esortazione, si è data la forma negativa e in nota si è citata la forma positiva.

Per il Tempo Progressivo, per il Passato Prossimo si è data solamente la prima persona e si sono sottintese tutte le altre per motivi di spazio e in considerazione che lo studente possa essere in grado di formarle da solo.

Si è ritenuto utile far risaltare evidenziandole tutte le voci verbali irregolari non solamente quelle proprie ma anche tutte quelle che, in qualche modo, si discostano dalla coniugazione regolare.

Non si sono presi in esame i verbi riflessivi perché si è ritenuto che non presentino difficoltà per il discente in quanto seguono la stessa coniugazione dei verbi corrispondenti regolari e irregolari. La sola particolarità della forma riflessiva è che le voci verbali sono accompagnate dalle particelle pronominali mi – ti – si – ci – vi – si.

Per i verbi di cui non si è data la coniugazione ma di cui si specifica che essa è simile a quella di un altro verbo, si dà tra parentesi l'ausiliare solo quando quest'ultimo non coincida con quello del verbo preso a modello.

Con i disegni, si è inteso mettere in guardia lo studente sugli errori più frequenti nella produzione della lingua italiana come L2 o LS.

In effetti da statistiche compiute su campioni di studenti di diversa provenienza, risulta che gli errori più frequenti, dovuti principalmente alla interferenza della L1, o di un'altra lingua precedentemente studiata, per l'uso dei tempi e dei modi i seguenti punti:

1) Scelta dei verbi ausiliari.
2) Scambio perfetto – imperfetto.
3) Il modo Congiuntivo.
4) L'imperativo negativo.
5) Il Congiuntivo dipendente dal Condizionale.
6) Il Periodo Ipotetico.

Si è tentato pertanto di dare uno schema riassuntivo dei vari punti, mirato a prevenire quegli errori e si ricorda che riuscire ad eliminare 1 errore con indice di frequenza 20, significa eliminarne 20 con indice di frequenza 1.

All'inizio del libro vengono presentate sempre inserite in una "scatola".

A) La coniugazione propria dei verbi ausiliari *Essere* e *Avere* ed il loro uso nel significato particolare di *Stare* e *Possedere*.

B) La coniugazione dei verbi Parlare – Temere – Sentire – Finire come esempio delle tre coniugazioni regolari e con un elenco dei principali verbi che si coniugano come Sentire o come Finire.

C) La coniugazione dei verbi Cercare e Pagare come esempio di verbi che all'Infinito presente terminano in –CARE e –GARE, evidenziandone le particolarità.

D) La coniugazione dei verbi Cominciare e Mangiare come esempio di verbi che all'Infinito presente terminano in –CIARE e –GIARE, evidenziandone le particolarità.

Ci si augura che il lavoro compiuto, per l'estrema semplicità dell'esposizione e dell'esemplificazione, possa rendere più facile agli studenti stranieri l'apprendimento e l'uso dei verbi italiani.

Maria Cristina Fazi

Sono arrivato in Italia due settimane fa.

SCELTA DELL'AUSILIARE AVERE/ESSERE

1) I verbi transitivi diretti richiedono l'ausiliare Avere nei tempi composti della forma attiva.

2) I verbi riflessivi e intransitivo-pronominali richiedono l'ausiliare Essere.

3) I verbi alla forma passiva richiedono l'ausiliare Essere.

4) I verbi impersonali, che indicano fenomeni atmosferici richiedono preferibilmente l'ausiliare Essere.

   Es.: Albeggiare – Annottare – Balenare – Diluviare – Grandinare – Lampeggiare – Nevicare – Piovere – Piovigineggiare – Soffiare – Spiovere – Tuonare.

5) I verbi impersonali, usati solo alla IIIª persona, richiedono l'ausiliare Essere.

   Es.: Accadere – Avvenire – Bastare – Bisognare – Capitare – Costare – Dipendere – Dispiacere – Giovare – Importare – Mancare – Occorrere – Parere – Rincrescere – Sembrare – Spettare – Succedere – Valere.

6) Alcuni verbi di moto, p.e. Avanzare – Correre – Discendere – Proseguire – Risalire – Salire – Saltare – Scendere – Scivolare – Volare, richiedono l'ausiliare Essere quando l'azione è considerata in rapporto ad un luogo espresso o sottinteso (vedi pp.: 67-149-152).

7) I verbi servili Dovere, Potere e Volere assumono l'ausiliare dell'infinito che segue (vedi pp.: 86-123-189).

8) I verbi che indicano un cambiamento fisico o mentale richiedono l'ausiliare Essere:

   Arrossire – Crescere – Dimagrire – Divenire – Diventare – Impazzire – Ingrassare – Invecchiare – Morire – Nascere – Ringiovanire – Rinvigorire – Sopravvivere – Svenire.

9) Verbi di largo uso che richiedono Essere:

   Accorrere – Addivenire – Andare – Apparire – Arricchire – Arrivare – Avvenire – Cadere – Cascare – Comparire – Emergere – Entrare – Esistere – Essere – Evadere – Fiorire – Fuggire – Intervenire – Partire – Penetrare – Pervenire – Restare – Riandare – Ricadere – Rientrare – Rimanere – Ripartire – Ritornare – Risorgere – Riuscire – Sbocciare – Scomparire – Scappare – Scoppiare – Sfuggire – Sopraggiungere – Sottostare – Sparire – Stare – Svanire – Tornare – Uscire – Venire.

VERBI AUSILIARI

Infinito				ESSERE	
INDICATIVO	PRESENTE	sono sei è siamo siete sono			in Italia
	PRE. PRO.	– *			
	IMPERFETTO	ero eri era eravamo eravate erano			
	PASS. PROS.	sono	stato/a		
	PASSATO REMOTO	fui fosti fu fummo foste furono			
	FUTURO SEMPLICE	sarò sarai sarà saremo sarete saranno			
CONDIZIONALE	PRESENTE	sarei saresti sarebbe saremmo sareste sarebbero			
IMPERATIVO	PRESENTE	– sii sia			gentile
		siamo siate siano			gentili
CONGIUNTIVO	PRESENTE	Pensa	che	io **sia** tu **sia** lui (lei, Lei) **sia** noi **siamo** voi **siate** loro **siano**	
	IMPERFETTO	Pensava Pensò Ha pensato	che	io **fossi** tu **fossi** lui (lei, Lei) **fosse** noi **fossimo** voi **foste** loro **fossero**	a casa

* Il gerundio è: *essendo*.

Infinito		AVERE			
I N D I C A T I V O	PRESENTE	**ho** **hai** **ho** **abbiamo** avete **hanno**			**molta pazienza**
	PRE PROG	sto	avendo		
	IMPERFETTO	avevo avevi aveva avevamo avevate avevano			
	PASS PROS	ho	avuto		
	PASSATO REMOTO	**ebbi** avesti **ebbe** avemmo aveste **ebbero**			
	FUTURO SEMPLICE	**avrò** **avrai** **avrà** **avremo** **avrete** **avranno**			
CONDIZIONALE	PRESENTE	**avrei** **avresti** **avrebbe** **avremmo** **avreste** **avrebbero**			
IMPERATIVO	PRESENTE	— **abbi** **abbia** **abbiamo** **abbiate** **abbiano**			
C O N G I U N T I V O	PRESENTE	Pensa	che	io **abbia** tu **abbia** lui (lei, Lei) **abbia** noi **abbiamo** voi **abbiate** loro **abbiano**	**molti soldi**
	IMPERFETTO	Pensava Pensò Ha pensato	che	io avessi tu avessi lui (lei, Lei) avesse noi avessimo voi aveste loro avessero	

VERBI REGOLARI

Infinito		1ª Coniugazione			**PARL-ARE**	
INDICATIVO	PRESENTE	parl-o parl-i parl-a parl-iamo parl-ate parl-ano				bene
	PRE. PRO.	sto	parl-ando			
	IMPERFETTO	parl-avo parl-avi parl-ava parl-avamo parl-avate parl-avano				
	PASS. PROS.	ho	parl-ato			
	PASSATO REMOTO	parl-ai parl-asti parl-ò parl-ammo parl-aste parl-arono				
	FUTURO SEMPLICE	parl-erò parl-erai parl-erà parl-eremo parl-erete parl-eranno				
CONDIZIONALE	PRESENTE	parl-erei parl-eresti parl-erebbe parl-eremmo parl-ereste parl-erebbero				
IMPERATIVO	PRESENTE	– parl-a parl-i parl-iamo parl-ate parl-ino				
CONGIUNTIVO	PRESENTE	Pensa	che	io parl-i tu parl-i lui (lei, Lei) parl-i noi parl-iamo voi parl-iate loro parl-ino		
	IMPERFETTO	Pensava Pensò Ha pensato	che	io parl-assi tu parl-assi lui (lei, Lei) parl-asse noi parl-assimo voi parl-aste loro parl-assero		

Infinito		2ª Coniugazione			**TEM-ERE**	
I N D I C A T I V O	PRESENTE	tem-o tem-i tem-e tem-iamo tem-ete tem-ono				di essere in ritardo
	PRE PRO	sto	tem-endo			
	IMPERFETTO	tem-evo tem-evi tem-eva tem-evamo tem-evate tem-evano				
	PASS PROS	ho	tem-uto			
	PASSATO REMOTO	tem-ei (-etti) tem-esti tem-é (-ette) tem-emmo tem-este tem-erono (-ettero)				
	FUTURO SEMPLICE	tem-erò tem-erai tem-erà tem-eremo tem-erete tem-eranno				
CONDIZIONALE	PRESENTE	tem-erei tem-eresti tem-erebbe tem-eremmo tem-ereste tem-erebbero				
IMPERATIVO	PRESENTE	– tem-i tem-a tem-iamo tem-ete tem-ano				
C O N G I U N T I V O	PRESENTE	Pensa		che	io tem-a tu tem-a lui (lei, Lei) tem-a noi tem-iamo voi tem-iate loro tem-ano	
	IMPERFETTO	Pensava Pensò Ha pensato		che	io tem-essi tu tem-essi lui (lei, Lei) tem-esse noi tem-essimo voi tem-este loro tem-essero	

Infinito		3ª CONIUGAZIONE		**SENT-IRE**	1° Gruppo
INDICATIVO	PRESENTE	sent-o sent-i sent-e sent-iamo sent-ite sent-ono			uno strano rumore
	PRE. PRO.	sto	sent-endo		
	IMPERFETTO	sent-ivo sent-ivi sent-iva sent-ivamo sent-ivate sent-ivano			
	PASS. PROS.	ho	sent-ito		
	PASSATO REMOTO	sent-ii sent-isti sent-ì sent-immo sent-iste sent-irono			
	FUTURO SEMPLICE	sent-irò sent-irai sent-irà sent-iremo sent-irete sent-iranno			
CONDIZIONALE	PRESENTE	sent-irei sent-iresti sent-irebbe sent-iremmo sent-ireste sent-irebbero			
IMPERATIVO	PRESENTE	– sent-i sent-a sent-iamo sent-ite sent-ano			ciò che dice Paolo
CONGIUNTIVO	PRESENTE	Pensa	che	io sent-a tu sent-a lui (lei, Lei) sent-a noi sent-iamo voi sent-iate loro sent-ano	freddo
	IMPERFETTO	Pensava Pensò Ha pensato	che	io sent-issi tu sent-issi lui (lei, Lei) sent-isse noi sent-issimo voi sent-iste loro sent-issero	

18

VERBI CHE SI CONIUGANO COME **SENTIRE**

Aborrire
Acconsentire
Assentire
Asservire
Assorbire
Avvertire
Bollire
Conseguire
Consentire
Convertire
Dissentire
Divertire
Dormire
Empire (riempire)
Eseguire
Fuggire
Invertire
Investire

Nutrire
Partire
Pentirsi
Proseguire
Rinvestire
Ripartire (partire di nuovo)
Risentire
Rivestire
Seguire
Servire
Sfuggire
Sortire (uscire per sorteggio)
Sovvertire
Susseguire
Svestire
Travestire
Vestire

Si coniugano come **Finire** e **Sentire**

Adempire
Applaudire
Mentire
Tossire

Infinito		3ª CONIUGAZIONE		**FIN-IRE**	2° Gruppo
INDICATIVO	PRESENTE	fin-isco fin-isci fin-isce fin-iamo fin-ite fin-iscono			l'esercizio
	PRE. PRO.	sto	fin-endo		
	IMPERFETTO	fin-ivo fin-ivi fin-iva fin-ivamo fin-ivate fin-ivano			
	PASS. PROS.	ho	fin-ito		
	PASSATO REMOTO	fin-ii fin-isti fin-ì fin-immo fin-iste fin-irono			
	FUTURO SEMPLICE	fin-irò fin-irai fin-irà fin-iremo fin-irete fin-iranno			
CONDIZIONALE	PRESENTE	fin-irei fin-iresti fin-irebbe fin-iremmo fin-ireste fin-irebbero			
IMPERATIVO	PRESENTE	– fin-isci fin-isca fin-iamo fin-ite fin-iscano			
CONGIUNTIVO	PRESENTE	Pensa	che	io fin-isca tu fin-isca lui (lei, Lei) fin-isca noi fin-iamo voi fin-iate loro fin-iscano	
	IMPERFETTO	Pensava Pensò Ha pensato	che	io fin-issi tu fin-issi lui (lei, Lei) fin-isse noi fin-issimo voi fin-iste loro fin-issero	

Abolire	Impazzire	Scandire
Adire	Impedire	Schernire
Agire	Infierire	Scolpire
Aggredire	Influire	Seppellire
Ardire	Inghiottire	Smagrire
Arricchire	Inibire	Smaltire
Arrossire	Inserire	Sminuire
Asserire	Interferire	Sortire (stabilire
Atterrire	Intuire	col sorteggio)
Attribuire	Inveire	Sostituire
Bandire	Istituire	Sparire
Capire	Istruire	Spartire
Chiarire	Muggire	Spedire
Colpire	Patire	Stabilire
Compatire	Perire	Starnutire
Compire	Preferire	Stordire
Concepire	Premonire	Stupire
Condire	Premunire	Subire
Conferire	Prestabilire	Suggerire
Contribuire	Preferire	Svanire
Costituire	Profferire	Tradire
Costruire	Proibire	Trasferire
Custodire	Pulire	Ubbidire
Definire	Punire	Unire
Demolire	Rapire	Zittire
Differire	Reagire	
Digerire	Retribuire	
Diminuire	Restituire	
Distribuire	Ricostruire	
Esaudire	Riferire	
Favorire	Rinverdire	
Ferire	Ripartire	
Fiorire	(frazionare)	
Fornire	Riunire	
Garantire	Riverire	
Gradire	Ruggire	
Guarire	Sbalordire	
Guarnire	Sbigottire	

VERBI IN
−CARE
−GARE

N.B.: I verbi in …CARE e …GARE prendono un **h** nel tema quando la desinenza comincia per **i** o per **e.**

Infinito		**CERCARE**			
INDICATIVO	PRESENTE	cerco cerchi cerca cerchiamo cercate cercano			di fare presto
	PRE. PRO.	sto	cercando		
	IMPERFETTO	cercavo cercavi cercava cercavamo cercavate cercavano			
	PASS. PROS.	ho	cercato		
	PASSATO REMOTO	cercai cercasti cercò cercammo cercaste cercarono			
	FUTURO SEMPLICE	cercherò cercherai cercherà cercheremo cercherete cercheranno			
CONDIZIONALE	PRESENTE	cercherei cercheresti cercherebbe cercheremmo cerchereste cercherebbero			
IMPERATIVO	PRESENTE	– cerca cerchi cerchiamo cercate cerchino			
CONGIUNTIVO	PRESENTE	Pensa	che	io cerchi tu cerchi lui (lei, Lei) cerchi noi cerchiamo voi cerchiate loro cerchino	
	IMPERFETTO	Pensava Pensò Ha pensato	che	io cercassi tu cercassi lui (lei, Lei) cercasse noi cercassimo voi cercaste loro cercassero	

Infinito			**PAGARE**	
INDICATIVO	PRESENTE	pago paghi paga paghiamo pagate pagano		in contanti
	PRE. PROG.	sto	pagando	
	IMPERFETTO	pagavo pagavi pagava pagavamo pagavate pagavano		
	PASS. PROS.	ho	pagato	
	PASSATO REMOTO	pagai pagasti pagò pagammo pagaste pagarono		
	FUTURO SEMPLICE	pagherò pagherai pagherà pagheremo pagherete pagheranno		
CONDIZIONALE	PRESENTE	pagherei pagheresti pagherebbe pagheremmo paghereste pagherebbero		
IMPERATIVO	PRESENTE	– paga paghi paghiamo pagate paghino		
CONGIUNTIVO	PRESENTE	Pensa	che	io paghi tu paghi lui (lei, Lei) paghi noi paghiamo voi paghiate loro paghino
	IMPERFETTO	Pensava Pensò Ha pensato	che	io pagassi tu pagassi lui (lei, Lei) pagasse noi pagassimo voi pagaste loro pagassero

26

VERBI IN
−CIARE
−GIARE

N.B.: Nei verbi in ...CIARE e ...GIARE la **i** del tema cade quando la desinenza comincia per **e** o per **i**.

Infinito		**COMINCIARE**			
INDICATIVO	PRESENTE	comincio cominci comincia cominciamo cominciate cominciano			
	PRE. PRO.	sto	cominciando		
	IMPERFETTO	cominciavo cominiciavi cominciava cominciavamo cominciavate cominciavano			
	PASS. PROS.	ho	cominciato		
	PASSATO REMOTO	cominciai cominciasti cominciò cominciammo cominciaste cominciarono			
	FUTURO SEMPLICE	comincerò comincerai comincerà cominceremo comincerete cominceranno			a scrivere una lettera
CONDIZIONALE	PRESENTE	comincerei cominceresti comincerebbe cominceremmo comincereste comincerebbero			
IMPERATIVO	PRESENTE	– comincia cominci cominciamo cominciate comincino			
CONGIUNTIVO	PRESENTE	Pensa	che	io cominci tu cominci lui (lei, Lei) cominci noi cominciamo voi cominciate loro comincino	
	IMPERFETTO	Pensava Pensò Ha pensato	che	io cominciassi tu cominciassi lui (lei, Lei) cominciasse noi cominciassimo voi cominciaste loro cominciassero	

Infinito		**MANGIARE**		
INDICATIVO	PRESENTE	mangio mang**i** mangia mang**iamo** mangiate mangiano		
	PRE. PRO.	sto	mangiando	
	IMPERFETTO	mangiavo mangiavi mangiava mangiavamo mangiavate mangiavano		
	PASS. PROS.	ho	mangiato	
	PASSATO REMOTO	mangiai mangiasti mangiò mangiammo mangiaste mangiarono		
	FUTURO SEMPLICE	mang**erò** mang**erai** mang**erà** mang**eremo** mang**erete** mang**eranno**		alla mensa della università
CONDIZIONALE	PRESENTE	mang**erei** mang**eresti** mang**erebbe** mang**eremmo** mang**ereste** mang**erebbero**		
IMPERATIVO	PRESENTE	– mangia mang**i** mang**iamo** mangiate mang**ino**		
CONGIUNTIVO	PRESENTE	Pensa	che	io mang**i** tu mang**i** lui (lei, Lei) mang**i** noi mang**iamo** voi mang**iate** loro mang**ino**
	IMPERFETTO	Pensava Pensò Ha pensato	che	io mangiassi tu mangiassi lui (lei, Lei) mangiasse noi mangiassimo voi mangiaste loro mangiassero

30

VERBI IRREGOLARI

Infinito				ACCADERE *		
INDICATIVO	PRESENTE	mi		accade		raramente di chiedere scusa
				accadono		sempre fatti strani
	PRE. PRO.	ti		sta accadendo		un po' di tutto
	IMPERFETTO			accadeva		di non ricordare niente
				accadevano		sempre fatti nuovi
	PASSATO PROSSIMO	gli	è	accaduto		un incidente stradale
		le		accaduta		una cosa insolita
		le	sono	accaduti		episodi incredibili
				accadute		tante cose negli ultimi tempi
	PASSATO REMOTO	ci		**accadde**		di perdere il portafoglio
				accaddero		cose veramente incredibili
	FUTURO SEMPLICE	vi		**accadrà**		qualcosa di inatteso
		gli		**accadranno**		eventi imprevedibili
CONDIZ.	PRESENTE			**accadrebbe**		qualcosa di bello
				accadrebbero		degli imprevisti
CONGIUNTIVO	PRESENTE	Pensa	che	mi ti gli le Le ci vi gli	accada	qualcosa di interessante
					accadano	cose spiacevoli
	IMPERFETTO	Pensava Pensò Ha pensato			accadesse	qualcosa di nuovo
					accadessero	cose piacevoli

* Si usa il verbo impersonale *Accadere* anche senza i pronomi indiretti. Es.: *Accade spesso di incontrare gente strana.*

33

Infinito		**ACCENDERE**			
INDICATIVO	PRESENTE	accendo accendi accende accendiamo accendete accendono			
	PRES. PROG.	sto	accendendo		
	IMPERFETTO	accendevo accendevi accendeva accendevamo accendevate accendevano			
	PASS. PROS.	ho	**acceso**		
	PASSATO REMOTO	**accesi** accendesti **accese** accendemmo accendeste **accesero**			
	FUTURO SEMPLICE	accenderò accenderai accenderà accenderemo accenderete accenderanno			la radio
CONDIZIONALE	PRESENTE	accenderei accenderesti accenderebbe accenderemmo accendereste accenderebbero			
IMPERATIVO	PRESENTE	– accendi accenda accendiamo accendete accendano			
CONGIUNTIVO	PRESENTE	Pensa	che	io accenda tu accenda lui (lei, Lei) accenda noi accendiamo voi accendiate loro accendano	
	IMPERFETTO	Pensava Pensò Ha pensato	che	io accendessi tu accendessi lui (lei, Lei) accendesse noi accendessimo voi accendeste loro accendessero	

34

Infinito			**ACCOGLIERE**		
INDICATIVO	PRESENTE	**accolgo** **accogli** accoglie **accogliamo** accogliete **accolgono**			l'invito con piacere
	PRES PROG	sto	accogliendo		
	IMPERFETTO	accoglievo accoglievi accoglieva accoglievamo accoglievate accoglievano			
	PASS PROSS	ho	**accolto**		
	PASSATO REMOTO	**accolsi** accogliesti **accolse** accogliemmo accoglieste **accolsero**			
	FUTURO SEMPLICE	accoglierò accoglierai accoglierà accoglieremo accoglierete accoglieranno			
CONDIZIONALE	PRESENTE	accoglierei accoglieresti accoglierebbe accoglieremmo accogliereste accoglierebbero			
IMPERATIVO	PRESENTE	– **accogli** **accolga** **accogliamo** accogliete **accolgano**			
CONGIUNTIVO	PRESENTE	Pensa	che	io **accolga** tu **accolga** lui (lei, Lei) **accolga** noi **accogliamo** voi **accogliate** loro **accolgano**	
	IMPERFETTO	Pensava Pensò Ha pensato	che	io accogliessi tu accogliessi lui (lei, Lei) accogliesse noi accogliessimo voi accoglieste loro accogliessero	

Infinito		**AGGIUNGERE**			
INDICATIVO	PRESENTE	aggiungo aggiungi aggiunge aggiungiamo aggiungete aggiungono			un posto a tavola
	PRE PRO	sto	aggiungendo		
	IMPERFETTO	aggiungevo aggiungevi aggiungeva aggiungevamo aggiungevate aggiungevano			
	PASS PROS	ho	**aggiunto**		
	PASSATO REMOTO	**aggiunsi** aggiungesti **aggiunse** aggiungemmo aggiungeste **aggiunsero**			
	FUTURO SEMPLICE	aggiungerò aggiungerai aggiungerà aggiungeremo aggiungerete aggiungeranno			
CONDIZIONALE	PRESENTE	aggiungerei aggiungeresti aggiungerebbe aggiungeremmo aggiungereste aggiungerebbero			
IMPERATIVO	PRESENTE	– aggiungi aggiunga aggiungiamo aggiungete aggiungano			
CONGIUNTIVO	PRESENTE	Pensa	che	io aggiunga tu aggiunga lui (lei, Lei) aggiunga noi aggiungiamo voi aggiungiate loro aggiungano	
	IMPERFETTO	Pensava Pensò Ha pensato	che	io aggiungessi tu aggiungessi lui (lei, Lei) aggiungesse noi aggiungessimo voi aggiungeste loro aggiungessero	

Infinito		**AMMETTERE**			
INDICATIVO	PRESENTE	ammetto ammetti ammette ammettiamo ammettete ammettono			
	PRE. PRO.	sto	ammettendo		
	IMPERFETTO	ammettevo ammettevi ammetteva ammettevamo ammettevate ammettevano			
	PASS. PROS.	ho	**ammesso**		
	PASSATO REMOTO	**ammisi** ammettesti **ammise** ammettemmo ammetteste **ammisero**			
	FUTURO SEMPLICE	ammetterò ammetterai ammetterà ammetteremo ammetterete ammetteranno			di aver sbagliato
CONDIZIONALE	PRESENTE	ammetterei ammetteresti ammetterebbe ammetteremmo ammettereste ammetterebbero			
IMPERATIVO	PRESENTE	– ammetti ammetta ammettiamo ammettete ammettano			
CONGIUNTIVO	PRESENTE	Pensa	che	io ammetta tu ammetta lui (lei, Lei) ammetta noi ammettiamo voi ammettiate loro ammettano	
	IMPERFETTO	Pensava Pensò Ha pensato	che	io ammettessi tu ammettessi lui (lei, Lei) ammettesse noi ammettessimo voi ammetteste loro ammettessero	

Infinito				ANDARE	
		PRESENTE	**vado** **vai** **va** andiamo andate **vanno**		
		PRE PRO	sto	andando	
	IMPERFETTO	andavo andavi andava andavamo andavate andavano		
	INDICATIVO	PASS PROS	sono	andato/a	
		PASSATO REMOTO	andai andasti andò andammo andaste andarono		
		FUTURO SEMPLICE	**andrò** **andrai** **andrà** **andremo** **andrete** **andranno**		a casa
	CONDIZIONALE	PRESENTE	**andrei** **andresti** **andrebbe** **andremmo** **andreste** **andrebbero**		
	IMPERATIVO	PRESENTE	— **va (vai-va')** **vada** andiamo andate **vadano**		
	CONGIUNTIVO	PRESENTE	Pensa	che	io **vada** tu **vada** lui (lei, Lei) **vada** noi andiamo voi andiate loro **vadano**
		IMPERFETTO	Pensava Pensò Ha pensato	che	io andassi tu andassi lui (lei, Lei) andasse noi andassimo voi andaste loro andassero

38

Infinito		**APPARTENERE**			
INDICATIVO	PRESENTE	**appartengo** **appartieni** **appartiene** apparteniamo appartenete **appartengono**			
	PRE. PRO.	sto	appartenendo		
	IMPERFETTO	appartenevo appartenevi apparteneva appartenevamo appartenevate appartenevano			
	PASS. PROS.	sono	appartenuto/a		
	PASSATO REMOTO	**appartenni** appartenesti **appartenne** appartenemmo apparteneste **appartennero**			ad un piccolo partito politico
	FUTURO SEMPLICE	**apparterrò** **apparterrai** **apparterrà** **apparterremo** **apparterrete** **apparterranno**			
CONDIZIONALE	PRESENTE	**apparterrei** **apparterresti** **apparterrebbe** **apparterremmo** **apparterreste** **apparterrebbero**			
IMPERATIVO	PRESENTE	– **appartieni** **appartenga** apparteniamo appartenete **appartengano**			
CONGIUNTIVO	PRESENTE	Pensa	che	io **appartenga** tu **appartenga** lui (lei, Lei) **appartenga** noi apparteniamo voi apparteniate loro **appartengano**	
	IMPERFETTO	Pensava Pensò Ha pensato	che	io appartenessi tu appartenessi lui (lei, Lei) appartenesse noi appartenessimo voi apparteneste loro appartenessero	

Infinito				**APPENDERE**	
		PRESENTE	appendo appendi appende appendiamo appendete appendono		
		PRE PRO	sto	appendendo	
INDICATIVO		IMPERFETTO	appendevo appendevi appendeva appendevamo appendevate appendevano		
		PASS PROS	ho	**appeso**	
		PASSATO REMOTO	**appesi** appendesti **appese** appendemmo appendeste **appesero**		
		FUTURO SEMPLICE	appenderò appenderai appenderà appenderemo appenderete appenderanno		il quadro alla parete
CONDIZIONALE		PRESENTE	appenderei appenderesti appenderebbe appenderemmo appendereste appenderebbero		
IMPERATIVO		PRESENTE	– appendi appenda appendiamo appendete appendano		
CONGIUNTIVO		PRESENTE	Pensa	che	io appenda tu appenda lui (lei, Lei) appenda noi appendiamo voi appendiate loro appendano
		IMPERFETTO	Pensava Pensò Ha pensato	che	io appendessi tu appendessi lui (lei, Lei) appendesse noi appendessimo voi appendeste loro appendessero

Infinito		**APPRENDERE**		
INDICATIVO	PRESENTE	apprendo apprendi apprende apprendiamo apprendete apprendono		
	PRE. PRO.	sto	apprendendo	
	IMPERFETTO	apprendevo apprendevi apprendeva apprendevamo apprendevate apprendevano		
	PASS. PROS.	ho	**appreso**	
	PASSATO REMOTO	**appresi** apprendesti **apprese** apprendemmo apprendeste **appresero**		
	FUTURO SEMPLICE	apprenderò apprenderai apprenderà apprenderemo apprenderete apprenderanno		un buon mestiere
CONDIZIONALE	PRESENTE	apprenderei apprenderesti apprenderebbe apprenderemmo apprendereste apprenderebbero		
IMPERATIVO	PRESENTE	– apprendi apprenda apprendiamo apprendete apprendano		
CONGIUNTIVO	PRESENTE	Pensa	che	io apprenda tu apprenda lui (lei, Lei) apprenda noi apprendiamo voi apprendiate loro apprendano
	IMPERFETTO	Pensava Pensò Ha pensato	che	io apprendessi tu apprendessi lui (lei, Lei) apprendesse noi apprendessimo voi apprendeste loro apprendessero

Infinito		**APRIRE**		
I N D I C A T I V O	PRESENTE	apro apri apre apriamo aprite aprono		
	PRE. PRO.	sto	aprendo	
	IMPERFETTO	aprivo aprivi apriva aprivamo aprivate aprivano		
	PASS. PROS.	ho	**aperto**	
	PASSATO REMOTO	aprii apristi aprì aprimmo apriste aprirono		
	FUTURO SEMPLICE	aprirò aprirai aprirà apriremo aprirete apriranno		la porta
CONDIZIONALE	PRESENTE	aprirei apriresti aprirebbe apriremmo aprireste aprirebbero		
IMPERATIVO	PRESENTE	– apri apra apriamo aprite aprano		
C O N G I U N T I V O	PRESENTE	Pensa	che	io apra tu apra lui (lei, Lei) apra noi apriamo voi apriate loro aprano
	IMPERFETTO	Pensava Pensò Ha pensato	che	io aprissi tu aprissi lui (lei, Lei) aprisse noi aprissimo voi apriste loro aprissero

Infinito		**ASSISTERE ***		
INDICATIVO	PRESENTE	assisto assisti assiste assistiamo assistete assistono		alla inaugurazione dell'anno accademico
	PRES. PROG.	sto	assistendo	
	IMPERFETTO	assistevo assistevi assisteva assistevamo assistevate assistevano		
	PASS. PROS.	ho	**assistito**	
	PASSATO REMOTO	assistei (- etti) assistesti assisté (- ette) assistemmo assisteste assisterono (- ettero)		
	FUTURO SEMPLICE	assisterò assisterai assisterà assisteremo assisterete assisteranno		
CONDIZIONALE	PRESENTE	assisterei assisteresti assisterebbe assisteremmo assistereste assisterebbero		
IMPERATIVO	PRESENTE	– assisti assista assistiamo assistete assistano		
CONGIUNTIVO	PRESENTE	Pensa	che	io assista tu assista lui (lei, Lei) assista noi assistiamo voi assistiate loro assistano
	IMPERFETTO	Pensava Pensò Ha pensato	che	io assistessi tu assistessi lui (lei, Lei) assistesse noi assistessimo voi assisteste loro assistessero

* Si coniugano come Assistere: *Desistere, Esistere* (ess.), *Persistere*.

Infinito		**ASSUMERE ***			
INDICATIVO	PRESENTE	assumo assumi assume assumiamo assumete assumono			
	PRE. PRO.	sto	assumendo		
	IMPERFETTO	assumevo assumevi assumeva assumevamo assumevate assumevano			
	PASS. PROS.	ho	**assunto**		
	PASSATO REMOTO	**assunsi** assumesti **assunse** assumemmo assumeste **assunsero**			un nuovo impiegato
	FUTURO SEMPLICE	assumerò assumerai assumerà assumeremo assumerete assumeranno			
CONDIZIONALE	PRESENTE	assumerei assumeresti assumerebbe assumeremmo assumereste assumerebbero			
IMPERATIVO	PRESENTE	– assumi assuma assumiamo assumete assumano			
CONGIUNTIVO	PRESENTE	Pensa	che	io assuma tu assuma lui (lei, Lei) assuma noi assumiamo voi assumiate loro assumano	
	IMPERFETTO	Pensava Pensò Ha pensato	che	io assumessi tu assumessi lui (lei, Lei) assumesse noi assumessimo voi assumeste loro assumessero	

* Si coniugano come Assumere: *Desumere, Presumere, Riassumere.*

44

Infinito		**ATTENDERE**		
INDICATIVO	PRESENTE	attendo attendi attende attendiamo attendete attendono		
	PRES. PROG.	sto	attendendo	
	IMPERFETTO	attendevo attendevi attendeva attendevamo attendevate attendevano		
	PASS. PROS.	ho	**atteso**	
	PASSATO REMOTO	**attesi** attendesti **attese** attendemmo attendeste **attesero**		
	FUTURO SEMPLICE	attenderò attenderai attenderà attenderemo attenderete attenderanno		la risposta prima di partire
CONDIZIONALE	PRESENTE	attenderei attenderesti attenderebbe attenderemmo attendereste attenderebbero		
IMPERATIVO	PRESENTE	– attendi attenda attendiamo attendete attendano		
CONGIUNTIVO	PRESENTE	Pensa	che	io attenda tu attenda lui (lei, Lei) attenda noi attendiamo voi attendiate loro attentano
	IMPERFETTO	Pensava Pensò Ha pensato	che	io attendessi tu attendessi lui (lei, Lei) attendesse noi attendessimo voi attendeste loro attendessero

Infinito				**BERE**	
I N D I C A T I V O	PRESENTE	bevo bevi beve beviamo bevete bevono			una aranciata amara
	PRES. PROG.	sto	bevendo		
	IMPERFETTO	bevevo bevevi beveva bevevamo bevevate bevevano			
	PASS. PROS.	ho	bevuto		
	PASSATO REMOTO	bevvi bevesti bevve bevemmo beveste bevvero			
	FUTURO SEMPLICE	berrò berrai berrà berremo berrete berranno			
CONDIZIONALE	PRESENTE	berrei berresti berrebbe berremmo berreste berrebbero			
IMPERATIVO	PRESENTE	– bevi beva beviamo bevete bevano			
C O N G I U N T I V O	PRESENTE	Pensa	che	io **beva** tu **beva** lui (lei, Lei) **beva** noi **beviamo** voi **beviate** loro **bevano**	
	IMPERFETTO	Pensava Pensò Ha pensato	che	io **bevessi** tu **bevessi** lui (lei, Lei) **bevesse** noi **bevessimo** voi **beveste** loro **bevessero**	

Stamattina mentre il professore **spiegava**, io pensavo a te.

SCAMBIO PERFETTO/IMPERFETTO

L'Imperfetto si usa per indicare:

A) descrizione.

Si usa l'imperfetto nelle descrizioni al passato:
- **Era** una brutta giornata senza sole e pioveva.
- **Ero** solo, senza amici.
- Non **sapevo** dove andare né cosa fare per passare il tempo.

B) azioni contemporanee.

Le azioni avvengono nello stesso tempo:
- Mentre **aspettavo** l'autobus, **leggevo** il giornale.
- Mentre il professore **parlava**, tutti gli studenti **prendevano** appunti.

C) azioni ripetute, abituali.

L'azione non avviene una sola volta, ma molte volte nel passato:
- L'anno scorso, d'inverno, Cristina **andava** a sciare tutte le domeniche.
- Quando ero al mare, tutte le sere **uscivo** con i miei amici.

D) incontro di due azioni.

Una azione è descritta nel suo svolgimento e l'altra, finita, chiusa, perfetta, sopraggiunge dopo l'inizio della prima:
- Mentre **uscivo** di casa, è arrivato il postino con un telegramma.
- Mentre **andavo** al centro, è cominciato a piovere.

Infinito			**CADERE** *			
I N D I C A T I V O	PRESENTE	cado cadi cade cadiamo cadete cadono				
	PRE. PROG.	sto	cadendo			
	IMPERFETTO	cadevo cadevi cadeva cadevamo cadevate cadevano				
	PASS. PROS.	sono	caduto/a			
	PASSATO REMOTO	**caddi** cadesti **cadde** cademmo cadeste **caddero**				
	FUTURO SEMPLICE	**cadrò** **cadrai** **cadrà** **cadremo** **cadrete** **cadranno**			in un tranello	49
CONDIZIONALE	PRESENTE	**cadrei** **cadresti** **cadrebbe** **cadremmo** **cadreste** **cadrebbero**				
IMPERATIVO	PRESENTE	non	– cadere ** cada cadiamo cadete cadano			
C O N G I U N T I V O	PRESENTE	Pensa		che	io cada tu cada lui (lei, Lei) cada noi cadiamo voi cadiate loro cadano	
	IMPERFETTO	Pensava Pensò Ha pensato		che	io cadessi tu cadessi lui (lei, Lei) cadesse noi cadessimo voi cadeste loro cadessero	

* Si coniugano come Cadere: *Decadere, Ricadere, Scadere.*
** L'imperativo positivo di II persona singolare è: *cadi.*

Infinito		CHIEDERE *		
INDICATIVO	PRESENTE	chiedo chiedi chiede chiediamo chiedete chiedono		
	PRES. PROG.	sto	chiedendo	
	IMPERFETTO	chiedevo chiedevi chiedeva chiedevamo chiedevate chiedevano		
	PASS. PROS.	ho	**chiesto**	
	PASSATO REMOTO	**chiesi** chiedesti **chiese** chiedemmo chiedeste **chiesero**		un favore a Paolo
	FUTURO SEMPLICE	chiederò chiederai chiederà chiederemo chiederete chiederanno		
CONDIZIONALE	PRESENTE	chiederei chiederesti chiederebbe chiederemmo chiedereste chiederebbero		
IMPERATIVO	PRESENTE	– chiedi chieda chiediamo chiedete chiedano		
CONGIUNTIVO	PRESENTE	Pensa	che	io chieda tu chieda lui (lei, Lei) chieda noi chiediamo voi chiediate loro chiedano
	IMPERFETTO	Pensava Pensò Ha pensato	che	io chiedessi tu chiedessi lui (lei, Lei) chiedesse noi chiedessimo voi chiedeste loro chiedessero

50

* Si coniuga come Chiedere: *Richiedere.*

Infinito		**CHIUDERE ***			
INDICATIVO	PRESENTE	chiudo chiudi chiude chiudiamo chiudete chiudono			la porta a chiave
	PRE. PRO.	sto	chiudendo		
	IMPERFETTO	chiudevo chiudevi chiudeva chiudevamo chiudevate chiudevano			
	PASS. PROS.	ho	**chiuso**		
	PASSATO REMOTO	**chiusi** chiudesti **chiuse** chiudemmo chiudeste **chiusero**			
	FUTURO SEMPLICE	chiuderò chiuderai chiuderà chiuderemo chiuderete chiuderanno			
CONDIZIONALE	PRESENTE	chiuderei chiuderesti chiuderebbe chiuderemmo chiudereste chiuderebbero			
IMPERATIVO	PRESENTE	– chiudi chiuda chiudiamo chiudete chiudano			
CONGIUNTIVO	PRESENTE	Pensa	che	io chiuda tu chiuda lui (lei, Lei) chiuda noi chiudiamo voi chiudiate loro chiudano	
	IMPERFETTO	Pensava Pensò Ha pensato	che	io chiudessi tu chiudessi lui (lei, Lei) chiudesse noi chiudessimo voi chiudeste loro chiudessero	

* Si coniugano come Chiudere: *Accludere, Alludere, Deludere, Eludere, Illudere, Includere, Racchiudere, Rinchiudere.*

Infinito		**COGLIERE** *		
INDICATIVO	PRESENTE	**colgo** **cogli** coglie **cogliamo** cogliete **colgono**		i fiori in giardino
	PRE. PRO.	sto	cogliendo	
	IMPERFETTO	coglievo coglievi coglieva coglievamo coglievate coglievano		
	PASS. PROS.	ho	**colto**	
	PASSATO REMOTO	**colsi** cogliesti **colse** cogliemmo coglieste **colsero**		
	FUTURO SEMPLICE	coglierò coglierai coglierà coglieremo coglierete coglieranno		
CONDIZIONALE	PRESENTE	coglierei coglieresti coglierebbe coglieremmo cogliereste coglierebbero		
IMPERATIVO	PRESENTE	– **cogli** **colga** **cogliamo** cogliete **colgano**		
CONGIUNTIVO	PRESENTE	Pensa	che	io **colga** tu **colga** lui (lei, Lei) **colga** noi **cogliamo** voi **cogliate** loro **colgano**
	IMPERFETTO	Pensava Pensò Ha pensato	che	io cogliessi tu cogliessi lui (lei, Lei) cogliesse noi cogliessimo voi coglieste loro cogliessero

52

* Si coniugano come Cogliere: *Distogliere, Sciogliere.*

Infinito			COMMETTERE		
INDICATIVO	PRESENTE	commetto commetti commette commettiamo commettete commettono			gravi errori
	PRE. PRO.	sto	commettendo		
	IMPERFETTO	commettevo commettevi commetteva commettevamo commettevate commettevano			
	PASS. PROS.	ho	**commesso**		
	PASSATO REMOTO	**commisi** commettesti **commise** commettemmo commetteste **commisero**			
	FUTURO SEMPLICE	commetterò commetterai commetterà commetteremo commetterete commetteranno			
CONDIZIONALE	PRESENTE	commetterei commetteresti commetterebbe commetteremmo commettereste commetterebbero			
IMPERATIVO	PRESENTE	non	– commettere * commetta commettiamo commettete commettano		
CONGIUNTIVO	PRESENTE	Pensa	che	io commetta tu commetta lui (lei, Lei) commetta noi commettiamo voi commettiate loro commettano	
	IMPERFETTO	Pensava Pensò Ha pensato	che	io commettessi tu commettessi lui (lei, Lei) commettesse noi commettessimo voi commetteste loro commettessero	

53

* L'imperativo positivo di II persona singolare è: *commetti*.

Infinito		**COMPARIRE ***		
INDICATIVO	PRESENTE	**compaio** (- risco) compari (- risci) compare (- risce) compariamo comparite **compaiono** (- riscono)		
	PRE. PRO.	sto	comparendo	
	IMPERFETTO	comparivo comparivi compariva comparivamo comparivate comparivano		
	PASS. PROS.	sono	**comparso/a**	
	PASSATO REMOTO	comparii (**arsi, arvi**) comparisti comparì (**arse, arve**) comparimmo compariste comparirono (**arsero, arvero**)		in pubblico
	FUTURO SEMPLICE	comparirò comparirai comparirà compariremo comparirete compariranno		
CONDIZIONALE	PRESENTE	comparirei compariresti comparirebbe compariremmo comparireste comparirebbero		
IMPERATIVO	PRESENTE	– compari (- risci) **compaia** (- risca) compariamo comparite **compaiano** (- riscano)		
CONGIUNTIVO	PRESENTE	Pensa	che	io **compaia** (- risca) tu **compaia** (- risca) lui (lei, Lei) **compaia** (- risca) noi compariamo voi compariate loro **compaiano** (- riscano)
	IMPERFETTO	Pensava Pensò Ha pensato	che	io comparissi tu comparissi lui (lei, Lei) comparisse noi comparissimo voi compariste loro comparissero

* Si coniugano come Comparire: *Apparire, Scomparire.*

54

Infinito		**COMPIERE ***			
INDICATIVO	PRESENTE	compio **compi** compie **compiamo** compiete compiono			una buona azione
	PRE. PRO.	sto	compiendo		
	IMPERFETTO	**compivo** **compivi** **compiva** **compivamo** **compivate** **compivano**			
	PASS. PROS.	ho	compiuto		
	PASSATO REMOTO	**compii** **compisti** **compì** **compimmo** **compiste** **compirono**			
	FUTURO SEMPLICE	**compirò** **compirai** **compirà** **compiremo** **compirete** **compiranno**			
CONDIZIONALE	PRESENTE	**compirei** **compiresti** **compirebbe** **compiremmo** **compireste** **compirebbero**			
IMPERATIVO	PRESENTE	– **compi** compia **compiamo** **compite** compiano			
CONGIUNTIVO	PRESENTE	Pensa	che	io compia tu compia lui (lei, Lei) compia **noi compiamo** **voi compiate** loro compiano	
	IMPERFETTO	Pensava Pensò Ha pensato	che	io **compissi** tu **compissi** lui (lei, Lei) **compisse** che noi **compissimo** voi **compiste** loro **compissero**	

* Si coniuga come Compiere: *Adempiere*.

Infinito		**COMPORRE**			
INDICATIVO	PRESENTE	compongo componi compone componiamo componete compongono			una sinfonia
	PRE. PRO.	sto	componendo		
	IMPERFETTO	componevo componevi componeva componevamo componevate componevano			
	PASS. PROS.	ho	composto		
	PASSATO REMOTO	composi componesti compose componemmo componeste composero			
	FUTURO SEMPLICE	comporrò comporrai comporrà comporremo comporrete comporranno			
CONDIZIONALE	PRESENTE	comporrei comporresti comporrebbe comporremmo comporreste comporrebbero			
IMPERATIVO	PRESENTE	– componi componga componiamo componete compongano			
CONGIUNTIVO	PRESENTE	Pensa	che	io **componga** tu **componga** lui (lei, Lei) **componga** noi **componiamo** voi **componiate** loro **compongano**	
	IMPERFETTO	Pensava Pensò Ha pensato	che	io **componessi** tu **componessi** lui (lei, Lei) **componesse** noi **componessimo** voi **componeste** loro **componessero**	

56

Infinito		**COMPRENDERE**		
INDICATIVO	PRESENTE	comprendo comprendi comprende comprendiamo comprendete comprendono		
	PRES. PROG.	sto	comprendendo	
	IMPERFETTO	comprendevo comprendevi comprendeva comprendevamo comprendevate comprendevano		
	PASS. PROS.	ho	**compreso**	
	PASSATO REMOTO	**compresi** comprendesti **comprese** comprendemmo comprendeste **compresero**		
	FUTURO SEMPLICE	comprenderò comprenderai comprenderà comprenderemo comprenderete comprenderanno		tutte le parole
CONDIZIONALE	PRESENTE	comprenderei comprenderesti comprenderebbe comprenderemmo comprendereste comprenderebbero		
IMPERATIVO	PRESENTE	– comprendi comprenda comprendiamo comprendete comprendano		
CONGIUNTIVO	PRESENTE	Pensa	che	io comprenda tu comprenda lui (lei, Lei) comprenda noi comprendiamo voi comprendiate loro comprendano
	IMPERFETTO	Pensava Pensò Ha pensato	che	io comprendessi tu comprendessi lui (lei, Lei) comprendesse noi comprendessimo voi comprendeste loro comprendessero

Infinito		**CONCEDERE ***		
INDICATIVO	PRESENTE	concedo concedi concede concediamo concedete concedono		
	PRE. PRO.	sto	concedendo	
	IMPERFETTO	concedevo concedevi concedeva concedevamo concedevate concedevano		
	PASS. PROS.	ho	**concesso**	
	PASSATO REMOTO	**concessi** concedesti **concesse** concedemmo concedeste **concessero**		
	FUTURO SEMPLICE	concederò concederai concederà concederemo concederete concederanno		un prestito all'amico
CONDIZIONALE	PRESENTE	concederei concederesti concederebbe concederemmo concedereste concederebbero		
IMPERATIVO	PRESENTE	– concedi conceda concediamo concedete concedano		
CONGIUNTIVO	PRESENTE	Pensa	che	io conceda tu conceda lui (lei, Lei) conceda noi concediamo voi concediate loro concedano
	IMPERFETTO	Pensava Pensò Ha pensato	che	io concedessi tu concedessi lui (lei, Lei) concedesse noi concedessimo voi concedeste loro concedessero

58

* Si coniuga come Concedere: *Retrocedere* (ess./av.).

Infinito		**CONCLUDERE**			
INDICATIVO	PRESENTE	concludo concludi conclude concludiamo concludete concludono			
	PRE. PRO.	sto	concludendo		
	IMPERFETTO	concludevo concludevi concludeva concludevamo concludevate concludevano			
	PASS. PROS.	ho	**concluso**		
	PASSATO REMOTO	**conclusi** concludesti **concluse** concludemmo concludeste **conclusero**			
	FUTURO SEMPLICE	concluderò concluderai concluderà concluderemo concluderete concluderanno			un buon affare
CONDIZIONALE	PRESENTE	concluderei concluderesti concluderebbe concluderemmo concludereste concluderebbero			
IMPERATIVO	PRESENTE	– concludi concluda concludiamo concludete concludano			
CONGIUNTIVO	PRESENTE	Pensa	che	io concluda tu concluda lui (lei, Lei) concluda noi concludiamo voi concludiate loro concludano	
	IMPERFETTO	Pensava Pensò Ha pensato	che	io concludessi tu concludessi lui (lei, Lei) concludesse noi concludessimo voi concludeste loro concludessero	

Infinito		**CONDURRE ***			
I N D I C A T I V O	PRESENTE	conduco conduci conduce conduciamo conducete conducono			una vita speri- colata
	PRE. PRO.	sto	conducendo		
	IMPERFETTO	conducevo conducevi conduceva conducevamo conducevate conducevano			
	PASS. PROS.	ho	condotto		
	PASSATO REMOTO	condussi conducesti condusse conducemmo conduceste condussero			
	FUTURO SEMPLICE	condurrò condurrai condurrà condurremo condurrete condurranno			
CONDIZIONALE	PRESENTE	condurrei condurresti condurrebbe condurremmo condurreste condurrebbero			
IMPERATIVO	PRESENTE	– conduci conduca conduciamo conducete conducano			
C O N G I U N T I V O	PRESENTE	Pensa	che	io **conduca** tu **conduca** lui (lei, Lei) **conduca** noi **conduciamo** voi **conduciate** loro **conducano**	
	IMPERFETTO	Pensava Pensò Ha pensato	che	io **conducessi** tu **conducessi** lui (lei, Lei) **conducesse** noi **conducessimo** voi **conduceste** loro **conducessero**	

* Si coniugano come Condurre: *Addurre, Dedurre, Introdurre, Sedurre.*

Infinito		**CONFONDERE** *			
I N D I C A T I V O	PRESENTE	confondo confondi confonde confondiamo confondete confondono			
	PRE. PRO.	sto	confondendo		
	IMPERFETTO	confondevo confondevi confondeva confondevamo confondevate confondevano			
	PASS. PROS.	ho	**confuso**		
	PASSATO REMOTO	**confusi** confondesti **confuse** confondemmo confondeste **confusero**			
	FUTURO SEMPLICE	confonderò confonderai confonderà confonderemo confonderete confonderanno			il sacro con il profano
CONDIZIONALE	PRESENTE	confonderei confonderesti confonderebbe confonderemmo confondereste confonderebbero			
IMPERATIVO	PRESENTE	– non	confondere ** confonda confondiamo confondete confondano		
C O N G I U N T I V O	PRESENTE	Pensa	che	io confonda tu confonda lui (lei, Lei) confonda noi confondiamo voi confondiate loro confondano	
	IMPERFETTO	Pensava Pensò Ha pensato	che	io confondessi tu confondessi lui (lei, Lei) confondesse noi confondessimo voi confondeste loro confondessero	

61

* Si coniuga come Confondere: *Fondere*.
** L'imperativo positivo di II persona singolare è: *confondi*.

Infinito		CONOSCERE *			
INDICATIVO	PRESENTE	conosco conosci conosce conosciamo conoscete conoscono			molta gente
	PRE. PRO.	sto	conoscendo		
	IMPERFETTO	conoscevo conoscevi conosceva conoscevamo conoscevate conoscevano			
	PASS. PROS.	ho	**conosciuto**		
	PASSATO REMOTO	**conobbi** conoscesti **conobbe** conoscemmo conosceste **conobbero**			
	FUTURO SEMPLICE	conoscerò conoscerai conoscerà conosceremo conoscerete conosceranno			
CONDIZIONALE	PRESENTE	conoscerei conosceresti conoscerebbe conosceremmo conoscereste conoscerebbero			
IMPERATIVO	PRESENTE	– conosci conosca conosciamo conoscete conoscano			
CONGIUNTIVO	PRESENTE	Pensa	che	io conosca tu conosca lui (lei, Lei) conosca noi conosciamo voi conosciate loro conoscano	
	IMPERFETTO	Pensava Pensò Ha pensato	che	io conoscessi tu conoscessi lui (lei, Lei) conoscesse noi conoscessimo voi conosceste loro conoscessero	

* Si coniugano come Conoscere: *Disconoscere, Misconoscere.*

Infinito		**CONVENIRE**		
I N D I C A T I V O	PRESENTE	**convengo** **convieni** **conviene** conveniamo convenite **convengono**		
	PRES. PROG.	sto	convenendo	
	IMPERFETTO	convenivo convenivi conveniva convenivamo convenivate convenivano		
	PASS. PROS.	* ho	**convenuto**	
	PASSATO REMOTO	**convenni** convenisti **convenne** convenimmo conveniste **convennero**		
	FUTURO SEMPLICE	**converrò** **converrai** **converrà** **converremo** **converrete** **converranno**		il prezzo d'acquisto
CONDIZIONALE	PRESENTE	**converrei** **converresti** **converrebbe** **converremmo** **converreste** **converrebbero**		
IMPERATIVO	PRESENTE	– **convieni** **convenga** conveniamo convenite **convengano**		
C O N G I U N T I V O	PRESENTE	Pensa	che	io **convenga** tu **convenga** lui (lei, Lei) **convenga** noi conveniamo voi conveniate loro **convengano**
	IMPERFETTO	Pensava Pensò Ha pensato	che	io convenissi tu convenissi lui (lei, Lei) convenisse noi convenissimo voi conveniste loro convenissero

* Si usa l'aus. *Essere* quando *Convenire* significa *Radunarsi* o quando è usato impersonalmente. Es.: *Mi è convenuto.* Es.: *Sono tutti convenuti in piazza.*

Infinito		**CONVINCERE**		
INDICATIVO	PRESENTE	convinco convinci convince convinciamo convincete convincono		
	PRES. PRO.	sto	convincendo	
	IMPERFETTO	convincevo convincevi convinceva convincevamo convincevate convicevano		
	PASS. PROS.	ho	**convinto**	
	PASSATO REMOTO	**convinsi** convincesti **convinse** convincemmo convinceste **convinsero**		
	FUTURO SEMPLICE	convincerò convincerai convincerà convinceremo convincerete convinceranno		Paolo a tentare l'esame
CONDIZIONALE	PRESENTE	convincerei convinceresti convincerebbe convinceremmo convincereste convincerebbero		
IMPERATIVO	PRESENTE	– convinci convinca convinciamo convincete convincano		
CONGIUNTIVO	PRESENTE	Pensa	che	io convinca tu convinca lui (lei, Lei) convinca noi convinciamo voi convinciate loro convincano
	IMPERFETTO	Pensava Pensò Ha pensato	che	io convincessi tu convincessi lui (lei, Lei) convincesse noi convincessimo voi convinceste loro convincessero

Infinito		COPRIRE *			
INDICATIVO	PRESENTE	copro copri copre copriamo coprite coprono			
	PRE. PRO.	sto	coprendo		
	IMPERFETTO	coprivo coprivi copriva coprivamo coprivate coprivano			
	PASS. PROS.	ho	**coperto**		il pavimento con un tappeto
	PASSATO REMOTO	coprii copristi coprì coprimmo copriste coprirono			
	FUTURO SEMPLICE	coprirò coprirai coprirà copriremo coprirete copriranno			
CONDIZIONALE	PRESENTE	coprirei copriresti coprirebbe copriremmo coprireste coprirebbero			
IMPERATIVO	PRESENTE	– copri copra copriamo coprite coprano			
CONGIUNTIVO	PRESENTE	Pensa	che	io copra tu copra lui (lei, Lei) copra noi copriamo voi copriate loro coprano	
	IMPERFETTO	Pensava Pensò Ha pensato	che	io coprissi tu coprissi lui (lei, Lei) coprisse noi coprissimo voi copriste loro coprissero	

* Si coniuga come Coprire: *Ricoprire*.

Infinito		**CORREGGERE**		
INDICATIVO	PRESENTE	correggo correggi corregge correggiamo correggete correggono		l'esercizio
	PRE PRO	sto	correggendo	
	IMPERFETTO	correggevo correggevi correggeva correggevamo correggevate correggevano		
	PASS PROS	ho	**corretto**	
	PASSATO REMOTO	**corressi** correggesti **corresse** correggemmo correggeste **coressero**		
	FUTURO SEMPLICE	correggerò correggerai correggerà correggeremo correggerete correggeranno		
CONDIZIONALE	PRESENTE	correggerei correggeresti correggerebbe correggeremmo correggereste correggerebbero		
IMPERATIVO	PRESENTE	– correggi corregga correggiamo correggete correggano		
CONGIUNTIVO	PRESENTE	Pensa	che	io corregga tu corregga lui (lei, Lei) corregga noi correggiamo voi correggiate loro correggano
	IMPERFETTO	Pensava Pensò Ha pensato	che	io correggessi tu correggessi lui (lei, Lei) correggesse noi correggessimo voi correggeste loro correggessero

Infinito		**CORRERE ***			
INDICATIVO	PRESENTE	corro corri corre corriamo correte corrono			
	PRES. PROG.	sto	correndo		alla stazione
	IMPERFETTO	correvo correvi correva correvamo correvate correvano			
	PASS. PROS.	ho sono	**corso** **corso/a ****		per tre ore
	PASSATO REMOTO	**corsi** corresti **corse** corremmo correste **corsero**			
	FUTURO SEMPLICE	correrò correrai correrà correremo correrete correranno			alla stazione
CONDIZIONALE	PRESENTE	correrei correresti correrebbe correremmo correreste correrebbero			
IMPERATIVO	PRESENTE	– corri corra corriamo correte corrano			
CONGIUNTIVO	PRESENTE	Pensa	che	io corra tu corra lui (lei, Lei) corra noi corriamo voi corriate loro corrano	** Si usa l'aus. essere quando l'azione è considerata in rapporto ad un luogo espresso o sottinteso.
	IMPERFETTO	Pensò Pensava Ha pensato	che	io corressi tu corressi lui (lei, Lei) corresse noi corressimo voi correste loro corressero	

67

* Si coniugano come Correre: *Accorrere* (ess.), *Concorrere* (av.), *Discorrere* (av.), *Percorrere* (av.), *Rincorrere* (av.), *Scorrere* (av./ess.), *Soccorrere* (av.).

Infinito		**CORROMPERE**		
INDICATIVO	PRESENTE	corrompo corrompi corrompe corrompiamo corrompete corrompono		il funzionario
	PRES. PROG.	sto	corrompendo	
	IMPERFETTO	corrompevo corrompevi corrompeva corrompevamo corrompevate corrompevano		
	PASS. PROS.	ho	**corrotto**	
	PASSATO REMOTO	**corruppi** corrompesti **corruppe** corrompemmo corrompeste **corruppero**		
	FUTURO SEMPLICE	corromperò corromperai corromperà corromperemo corromperete corromperanno		
CONDIZIONALE	PRESENTE	corromperei corromperesti corromperebbe corromperemmo corrompereste corromperebbero		
IMPERATIVO	PRESENTE	– corrompi corrompa corrompiamo corrompete corrompano		
CONGIUNTIVO	PRESENTE	Pensa	che	io corrompa tu corrompa lui (lei, Lei) corrompa noi corrompiamo voi corrompiate loro corrompano
	IMPERFETTO	Pensò Pensava Ha pensato	che	io corrompessi tu corrompessi lui (lei, Lei) corrompesse noi corrompessimo voi corrompeste loro corrompessero

Infinito		**COSTRINGERE**		
INDICATIVO	PRESENTE	costringo costringi costringe costringiamo costringete costringono		
	PRES. PROG.	sto	costringendo	
	IMPERFETTO	costringevo costringevi costringeva costringevamo costringevate costringevano		
	PASS. PROS.	ho	**costretto**	
	PASSATO REMOTO	**costrinsi** costringesti **costrinse** costringemmo costringeste **costrinsero**		Paola a mangiare
	FUTURO SEMPLICE	costringerò costringerai costringerà costringeremo costringerete costringeranno		
CONDIZIONALE	PRESENTE	costringerei costringeresti costringerebbe costringeremmo costringereste costringerebbero		
IMPERATIVO	PRESENTE	– costringi costringa costringiamo costringete costringano		
CONGIUNTIVO	PRESENTE	Pensa	che	io costringa tu costringa lui (lei, Lei) costringa noi costringiamo voi costringiate loro costringano
	IMPERFETTO	Pensò Pensava Ha pensato	che	io costringessi tu costringessi lui (lei, Lei) costringesse noi costringessimo voi costringeste loro costringessero

Infinito		**CRESCERE ***		
INDICATIVO	PRESENTE	cresco cresci cresce cresciamo crescete crescono		con buoni principi
	PRE. PRO.	sto	crescendo	
	IMPERFETTO	crescevo crescevi cresceva crescevamo crescevate crescevano		
	PASS. PROS.	sono	**cresciuto/a**	
	PASSATO REMOTO	**crebbi** crescesti **crebbe** crescemmo cresceste **crebbero**		
	FUTURO SEMPLICE	crescerò crescerai crescerà cresceremo crescerete cresceranno		
CONDIZIONALE	PRESENTE	crescerei cresceresti crescerebbe cresceremmo crescereste crescerebbero		
IMPERATIVO	PRESENTE	– cresci cresca cresciamo crescete crescano		
CONGIUNTIVO	PRESENTE	Pensa	che	io cresca tu cresca lui (lei, Lei) cresca noi cresciamo voi cresciate loro crescano
	IMPERFETTO	Pensò Pensava Ha pensato	che	io crescessi tu crescessi lui (lei, Lei) crescesse noi crescessimo voi cresceste loro crescessero

* Si coniugano come Crescere: *Accrescere* (av.), *Ricrescere* (ess.).

Infinito		DARE *			
INDICATIVO	PRESENTE	do **dai** **dà** diamo date **danno**			il buon esempio
	PRES. PROG.	sto	dando		
	IMPERFETTO	davo davi dava davamo davate davano			
	PASS. PROS.	ho	dato		
	PASSATO REMOTO	**diedi (detti)** **desti** **diede (dette)** **demmo** **deste** **diedero (dettero)**			
	FUTURO SEMPLICE	**darò** **darai** **darà** **daremo** **darete** **daranno**			
CONDIZIONALE	PRESENTE	**darei** **daresti** **darebbe** **daremmo** **dareste** **darebbero**			
IMPERATIVO	PRESENTE	– **da, (dai-da')** **dia** diamo date **diano**			
CONGIUNTIVO	PRESENTE	Pensa	che	io **dia** tu **dia** lui (lei, Lei) **dia** noi diamo voi diate loro **diano**	
	IMPERFETTO	Pensò Pensava Ha pensato	che	io **dessi** tu **dessi** lui (lei, Lei) **desse** noi **dessimo** voi **deste** loro **dessero**	

* Si coniuga come Dare: *Ridare*.

Infinito		**DECIDERE**			
INDICATIVO	PRESENTE	decido decidi decide decidiamo decidete decidono			di partire in aereo
	PRE PRO	sto	decidendo		
	IMPERFETTO	decidevo decidevi decideva decidevamo decidevate decidevano			
	PASS PROS	ho	**deciso**		
	PASSATO REMOTO	**decisi** decidesti **decise** decidemmo decideste **decisero**			
	FUTURO SEMPLICE	deciderò deciderai deciderà decideremo deciderete decideranno			
CONDIZIONALE	PRESENTE	deciderei decideresti deciderebbe decideremmo decidereste deciderebbero			
IMPERATIVO	PRESENTE	– decidi decida decidiamo decidete decidano			
CONGIUNTIVO	PRESENTE	Pensa	che	io decida tu decida lui (lei, Lei) decida noi decidiamo voi decidiate loro decidano	
	IMPERFETTO	Pensò Pensava Ha pensato	che	io decidessi tu decidessi lui (lei, Lei) decidesse noi decidessimo voi decideste loro decidessero	

Infinito		DESCRIVERE				
INDICATIVO	PRESENTE	descrivo descrivi descrive descriviamo descrivete descrivono				
	PRE. PRO.	sto	descrivendo			
	IMPERFETTO	descrivevo descrivevi descriveva descrivevamo descrivevate descrivevano				
	PASS. PROS.	ho	**descritto**			
	PASSATO REMOTO	**descrissi** descrivesti **descrisse** descrivemmo descriveste **descrissero**				l'avveni- mento nei particolari
	FUTURO SEMPLICE	descriverò descriverai descriverà descriveremo descriverete descriveranno				
CONDIZIONALE	PRESENTE	descriverei descriveresti descriverebbe descriveremmo descrivereste descriverebbero				
IMPERATIVO	PRESENTE	– descrivi descriva descriviamo descrivete descrivano				
CONGIUNTIVO	PRESENTE	Pensa		che	io descriva tu descriva lui (lei, Lei) descriva noi descriviamo voi descriviate loro descrivano	
	IMPERFETTO	Pensò Pensava Ha pensato		che	io descrivessi tu descrivessi lui (lei, Lei) descrivesse noi descrivessimo voi descriveste loro descrivessero	

Infinito		**DIFENDERE**			
INDICATIVO	PRESENTE	difendo difendi difende difendiamo difendete difendono			
	PRE. PRO.	sto	difendendo		
	IMPERFETTO	difendevo difendevi difendeva difendevamo difendevate difendevano			
	PASS. PROS.	ho	**difeso**		
	PASSATO REMOTO	**difesi** difendesti **difese** difendemmo difendeste **difesero**			
	FUTURO SEMPLICE	difenderò difenderai difenderà difenderemo difenderete difenderanno			le idee giuste
CONDIZIONALE	PRESENTE	difenderei difeneresti difenderebbe difenderemmo difendereste difenderebbero			
IMPERATIVO	PRESENTE	– difendi difenda difendiamo difendete difendano			
CONGIUNTIVO	PRESENTE	Pensa	che	io difenda tu difenda lui (lei, Lei) difenda noi difendiamo voi difendiate loro difendano	
	IMPERFETTO	Pensò Pensava Ha pensato	che	io difendessi tu difendessi lui (lei, Lei) difendesse noi difendessimo voi difendeste loro difendessero	

74

Infinito			DIFFONDERE			
		PRESENTE	diffondo diffondi diffonde diffondiamo diffondete diffondono			
		PRE. PRO.	sto	diffondendo		
		IMPERFETTO	diffondevo diffondevi diffondeva diffondevamo diffondevate diffondevano			
I N D I C A T I V O		PASS. PROS.	ho	**diffuso**		
		PASSATO REMOTO	**diffusi** diffondesti **diffuse** diffondemmo diffondeste **diffusero**			
		FUTURO SEMPLICE	diffonderò diffonderai diffonderà diffonderemo diffonderete diffonderanno			la buona notizia
CONDIZIONALE		PRESENTE	diffonderei diffonderesti diffonderebbe diffonderemmo diffondereste diffonderebbero			
IMPERATIVO		PRESENTE	– diffondi diffonda diffondiamo diffondete diffondano			
C O N G I U N T I V O		PRESENTE	Pensa	che	io diffonda tu diffonda lui (lei, Lei) diffonda noi diffondiamo voi diffondiate loro diffondano	
		IMPERFETTO	Pensò Pensava Ha pensato	che	io diffondessi tu diffondessi lui (lei, Lei) diffondesse noi diffondessimo voi diffondeste loro diffondessero	

Infinito		DIPENDERE			
INDICATIVO	PRESENTE	dipendo dipendi dipende dipendiamo dipendete dipendono			dai genitori
	PRES. PROG.	sto	dipendendo		
	IMPERFETTO	dipendevo dipendevi dipendeva dipendevamo dipendevate dipendevano			
	PASS. PROSS.	sono	**dipeso/a**		
	PASSATO REMOTO	**dipesi** dipendesti **dipese** dipendemmo dipendeste **dipesero**			
	FUTURO SEMPLICE	dipenderò dipenderai dipenderà dipenderemo dipenderete dipenderanno			
CONDIZIONALE	PRESENTE	dipenderei dipenderesti dipenderebbe dipenderemmo dipendereste dipenderebbero			
IMPERATIVO	PRESENTE	non	– dipendere * dipenda dipendiamo dipendete dipendano		
CONGIUNTIVO	PRESENTE	Pensa	che	io dipenda tu dipenda lui (lei, Lei) dipenda noi dipendiamo voi dipendiate loro dipendano	
	IMPERFETTO	Pensò Pensava Ha pensato	che	io dipendessi tu dipendessi lui (lei, Lei) dipendesse noi dipendessimo voi dipendeste loro dipendessero	

* L'imperativo positivo di II persona singolare è: *dipendi*.

Infinito			**DIPINGERE ***		
I N D I C A T I V O	PRESENTE	dipingo dipingi dipinge dipingiamo dipingete dipingono			un bel quadro
	PRE. PRO.	sto	dipingendo		
	IMPERFETTO	dipingevo dipingevi dipingeva dipingevamo dipingevate dipingevano			
	PASS. PROS.	ho	**dipinto**		
	PASSATO REMOTO	**dipinsi** dipingesti **dipinse** dipingemmo dipingeste **dipinsero**			
	FUTURO SEMPLICE	dipingerò dipingerai dipingerà dipingeremo dipingerete dipingeranno			
CONDIZIONALE	PRESENTE	dipingerei dipingeresti dipingerebbe dipingeremmo dipingereste dipingerebbero			
IMPERATIVO	PRESENTE	– dipingi dipinga dipingiamo dipingete dipingano			
C O N G I U N T I V O	PRESENTE	Pensa	che	io dipinga tu dipinga lui (lei, Lei) dipinga noi dipingiamo voi dipingiate loro dipingano	
	IMPERFETTO	Pensò Pensava Ha pensato	che	io dipingessi tu dipingessi lui (lei, Lei) dipingesse noi dipingessimo voi dipingeste loro dipingessero	

* Si coniugano come Dipingere: *Attingere, Respingere, Sospingere, Tingere.*

Infinito		DIRE *		
INDICATIVO	PRESENTE	dico dici dice diciamo dite dicono		a Lorenzo di fare presto
	PRE. PRO.	sto	dicendo	
	IMPERFETTO	dicevo dicevi diceva dicevamo dicevate dicevano		
	PASS. PROS.	ho	detto	
	PASSATO REMOTO	dissi dicesti disse dicemmo diceste dissero		
	FUTURO SEMPLICE	dirò dirai dirà diremo direte diranno		
CONDIZIONALE	PRESENTE	direi diresti direbbe diremmo direste direbbero		
IMPERATIVO	PRESENTE	— di' dica diciamo dite dicano		
CONGIUNTIVO	PRESENTE	Pensa	che	io **dica** tu **dica** lui (lei, Lei) **dica** noi **diciamo** voi **diciate** essi **dicano**
	IMPERFETTO	Pensò Pensava Ha pensato	che	io **dicessi** tu **dicessi** lui (lei, Lei) **dicesse** noi **dicessimo** voi **diceste** loro **dicessero**

* Si coniugano come Dire: *Benedire, Contraddire, Disdire, Indire, Interdire, Maledire, Pre-dire, Ridire.*

78

Infinito		**DIRIGERE** *		
INDICATIVO	PRESENTE	dirigo dirigi dirige dirigiamo dirigete dirigono		bene l'azienda
	PRE PRO	sto	dirigendo	
	IMPERFETTO	dirigevo dirigevi dirigeva dirigevamo dirigevate dirigevano		
	PASS PROS	ho	**diretto**	
	PASSATO REMOTO	**diressi** dirigesti **diresse** dirigemmo dirigereste **diressero**		
	FUTURO SEMPLICE	dirigerò dirigerai dirigerà dirigeremo dirigerete dirigeranno		
CONDIZIONALE	PRESENTE	dirigerei dirigeresti dirigerebbe dirigeremmo dirigereste dirigerebbero		
IMPERATIVO	PRESENTE	– dirigi diriga dirigiamo dirigete dirigano		
CONGIUNTIVO	PRESENTE	Pensa	che	io diriga tu diriga lui (lei, Lei) diriga noi dirigiamo voi dirigiate loro dirigano
	IMPERFETTO	Pensò Pensava Ha pensato	che	io dirigessi tu dirigessi lui (lei, Lei) dirigesse noi dirigessimo voi dirigeste essi dirigessero

* Si coniugano come Dirigere: *Erigere, Prediligere.*

Infinito		**DISCUTERE ***			
INDICATIVO	PRESENTE	discuto discuti discute discutiamo discutete discutono			con calma
	PRE PRO	sto	discutendo		
	IMPERFETTO	discutevo discutevi discuteva discutevamo discutevate discutevano			
	PASS PROS	ho	**discusso**		
	PASSATO REMOTO	**discussi** discutesti **discusse** discutemmo discuteste **discussero**			
	FUTURO SEMPLICE	discuterò discuterai discuterà discuteremo discuterete discuteranno			
CONDIZIONALE	PRESENTE	discuterei discuteresti discuterebbe discuteremmo discutereste discuterebbero			
IMPERATIVO	PRESENTE	— discuti discuta discutiamo discutete discutano			
CONGIUNTIVO	PRESENTE	Pensa	che	io discuta tu discuta lui (lei, Lei) discuta noi discutiamo voi discutiate loro discutano	
	IMPERFETTO	Pensò Pensava Ha pensato	che	io discutessi tu discutessi lui (lei, Lei) discutesse noi discutessimo voi discuteste loro discutessero	

80

* Si coniuga come Discutere: *Incutere*.

Infinito					DISPIACERE	
I N D I C A T I V O	PRESENTE	mi	dispiace			partire prima della fine del corso
	PRE. PRO.		sta	dispiacendo		
	IMPERFETTO	ti	dispiaceva			
	PASSATO PROSSIMO	gli	è	**dispiaciuto**		
		le				
	PASSATO REMOTO	Le	**dispiacque**			
	FUTURO SEMPLICE	ci	dispiacerà			
		vi				
CONDIZIONALE	PRESENTE	gli	dispiacerebbe			
IMPERATIVO	PRESENTE		———			
C O N G I U N T I V O	PRESENTE	Pensa		che	mi ti gli le Le ci vi gli	**dispiaccia**
	IMPERFETTO	Pensava Pensò Ha pensato				dispiacesse

Infinito		**DISPORRE**			
	PRESENTE	dispongo disponi dispone disponiamo disponete dispongono			
	PRES. PROG.	sto	**disponendo**		
	IMPERFETTO	disponevo disponevi disponeva disponevamo disponevate disponevano			
	PASS. PROSS.	ho	**disposto**		
INDICATIVO	PASSATO REMOTO	disposi disponesti dispose disponemmo disponeste disposero			
	FUTURO SEMPLICE	disporrò disporrai disporrà disporremo disporrete disporranno			i libri nello scaffale
CONDIZIONALE	PRESENTE	disporrei disporresti disporrebbe disporremmo disporreste disporrebbero			
IMPERATIVO	PRESENTE	— disponi disponga disponiamo disponete dispongano			
CONGIUNTIVO	PRESENTE	Pensa	che	io **disponga** tu **disponga** lui (lei, Lei) **disponga** noi **disponiamo** voi **dissoniate** loro **dispongano**	
	IMPERFETTO	Pensò Pensava Ha pensato	che	io **disponessi** tu **disponessi** lui (lei, Lei) **disponesse** noi **disponessimo** voi **disponeste** loro **disponessero**	

Infinito		**DISTINGUERE ***			
I N D I C A T I V O	PRESENTE	distinguo distingui distingue distinguiamo distinguete distinguono			
	PRE. PRO.	sto	distinguendo		
	IMPERFETTO	distinguevo distinguevi distingueva distinguevamo distinguevate distinguevano			
	PASS. PROS.	ho	**distinto**		
	PASSATO REMOTO	**distinsi** distinguesti **distinse** distinguemmo distingueste **distinsero**			
	FUTURO SEMPLICE	distinguerò distinguerai distinguerà distingueremo distinguerete distingueranno			il vero dal falso
CONDIZIONALE	PRESENTE	distinguerei distingueresti distinguerebbe distingueremmo distinguereste distinguerebbero			
IMPERATIVO	PRESENTE	– distingui distingua distinguiamo distinguete distinguano			
C O N G I U N T I V O	PRESENTE	Pensa	che	io distingua tu distingua lui (lei, Lei) distingua noi distinguiamo voi distinguiate loro distinguano	
	IMPERFETTO	Pensò Pensava Ha pensato	che	io distinguessi tu distinguessi lui (lei, Lei) distinguesse noi distinguessimo voi distingueste loro distinguessero	

* Si coniugano come Distinguere: *Contraddistinguere, Estinguere*.

Infinito		**DISTRUGGERE**			
INDICATIVO	PRESENTE	distruggo distruggi distrugge distruggiamo distruggete distruggono			le vecchie lettere
	PRE. PRO.	sto	distruggendo		
	IMPERFETTO	distruggevo distruggevi distruggeva distruggevamo distruggevate distruggevano			
	PASS. PROS.	ho	**distrutto**		
	PASSATO REMOTO	**distrussi** distruggesti **distrusse** distruggemmo distruggeste **distrussero**			
	FUTURO SEMPLICE	distruggerò distruggerai distruggerà distruggeremo distruggerete distruggeranno			
CONDIZIONALE	PRESENTE	distruggerei distruggeresti distruggerebbe distruggeremmo distruggereste distruggerebbero			
IMPERATIVO	PRESENTE	– distruggi distrugga distruggiamo distruggete distruggano			
CONGIUNTIVO	PRESENTE	Pensa	che	io distrugga tu distrugga lui (lei, Lei) distrugga noi distruggiamo voi distruggiate loro distruggano	
	IMPERFETTO	Pensò Pensava Ha pensato	che	io distruggessi tu distruggessi lui (lei, Lei) distruggesse noi distruggessimo voi distruggeste loro distruggessero	

84

Infinito		DIVIDERE *			
INDICATIVO	PRESENTE	divido dividi divide dividiamo dividete dividono			le parole in sillabe
	PRE.PRO.	sto	dividendo		
	IMPERFETTO	dividevo dividevi divideva dividevamo dividevate dividevano			
	PASS.PROS.	ho	**diviso**		
	PASSATO REMOTO	**divisi** dividesti **divise** dividemmo divideste **divisero**			
	FUTURO SEMPLICE	dividerò dividerai dividerà divideremo dividerete divideranno			
CONDIZIONALE	PRESENTE	dividerei divideresti dividerebbe divideremmo dividereste dividerebbero			
IMPERATIVO	PRESENTE	– dividi divida dividiamo dividete dividano			
CONGIUNTIVO	PRESENTE	Pensa	che	io divida tu divida lui (lei, Lei) divida noi dividiamo voi dividiate loro dividano	
	IMPERFETTO	Pensò Pensava Ha pensato	che	io dividessi tu dividessi lui (lei, Lei) dividesse noi dividessimo voi divideste loro dividessero	

* Si coniuga come Dividere: *Condividere*.

85

Infinito				DOVERE *		
INDICATIVO	PRESENTE	**devo/debbo** **devi** **deve** **dobbiamo** dovete **devono/debbano**				studiare molto
	PRE PRO	** —	—			
	IMPERFETTO	dovevo dovevi doveva dovevamo dovevate dovevano				
	PASS PROS	ho sono	dovuto dovuto/a			uscire
	PASSATO REMOTO	dovei (-etti) dovesti dové (-ette) dovemmo doveste doveroso (-ettero)				
	FUTURO SEMPLICE	**dovrò** **dovrai** **dovrà** **dovremo** **dovrete** **dovranno**				studiare molto
CONDIZIONALE	PRESENTE	**dovrei** **dovresti** **dovrebbe** **dovremmo** **dovreste** **dovrebbero**				
IMPERATIVO	PRESENTE					
CONGIUNTIVO	PRESENTE	Pensa	che	io **deva** (**debba**) tu **deva** (**debba**) lui (lei, Lei) **deva** (**debba**) noi **dobbiamo** voi **dobbiate** loro **devano** (**debbano**)		** Il gerun- dio è: *dovendo*.
	IMPERFETTO	Pensò Pensava Ha pensato	che	io dovessi tu dovessi lui (lei, Lei) dovesse noi dovessimo voi doveste loro dovessero		

* Usato come verbo servile, può coniugarsi con l'aus. avere o essere, secondo l'infinito con cui si unisce. Usato in senso assoluto, si coniuga con l'aus. avere (es.: *Perché sei andato via così presto? Non posso spiegartelo, ma ho dovuto*).

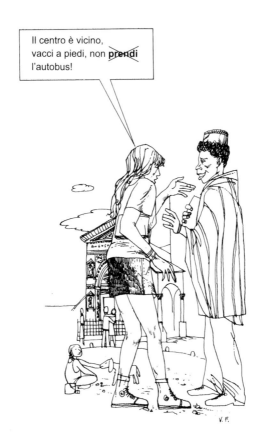

Il centro è vicino; vacci a piedi, non **prendere** l'autobus!

IMPERATIVO

		...are	...ere	...ire	...ire
(tu)		...a	...i	...i	...isci
(voi)	non	...ate	...ete	...ite	...ite
(noi)		...iamo	...iamo	...iamo	...iamo
(Lei)		...i	...a	...a	...isca
(Loro)		...ino	...ano	...ano	...iscano

L'imperativo negativo di seconda persona singolare si ottiene premettendo NON alla forma dell'infinito:

- Parla!   Non parlare!
- Scrivi!   Non scrivere!
- Parti!   Non partire!
- Finisci!   Non finire!

In tutti gli altri casi la forma negativa si ottiene premettendo il NON alla forma positiva.

Infinito		**ELEGGERE ***			
INDICATIVO	PRESENTE	eleggo eleggi elegge eleggiamo eleggete eleggono			
	PRE. PRO.	sto	eleggendo		
	IMPERFETTO	eleggevo eleggevi eleggeva eleggevamo eleggevate eleggevano			
	PASS. PROS.	ho	**eletto**		
	PASSATO REMOTO	**elessi** eleggesti **elesse** eleggemmo eleggeste **elessero**			deputati e senatori
	FUTURO SEMPLICE	eleggerò eleggerai eleggerà eleggeremo eleggerete eleggeranno			
CONDIZIONALE	PRESENTE	eleggerei eleggeresti eleggerebbe eleggeremmo eleggereste eleggerebbero			
IMPERATIVO	PRESENTE	– eleggi elegga eleggiamo eleggete eleggano			
CONGIUNTIVO	PRESENTE	Pensa	che	io elegga tu elegga lui (lei, Lei) elegga noi eleggiamo voi eleggiate loro eleggano	
	IMPERFETTO	Pensò Pensava Ha pensato	che	io eleggessi tu eleggessi lui (lei, Lei) eleggesse noi eleggessimo voi eleggeste loro eleggessero	

* Si coniuga come Eleggere: *Rieleggere.*

Infinito		**EMERGERE ***		
INDICATIVO	PRESENTE	emergo emergi emerge emergiamo emergete emergono		fra tutti per intelligenza
	PRE. PRO.	sto	emergendo	
	IMPERFETTO	emergevo emergevi emergeva emergevamo emergevate emergevano		
	PASS. PROS.	sono	**emerso/a**	
	PASSATO REMOTO	**emersi** emergesti **emerse** emergemmo emergeste **emersero**		
	FUTURO SEMPLICE	emergerò emergerai emergerà emergeremo emergerete emergeranno		
CONDIZIONALE	PRESENTE	emergerei emergeresti emergerebbe emergeremmo emergereste emergerebbero		
IMPERATIVO	PRESENTE	– emergi emerga emergiamo emergete emergano		
CONGIUNTIVO	PRESENTE	Pensa	che	io emerga tu emerga lui (lei, Lei) emerga noi emergiamo voi emergiate loro emergano
	IMPERFETTO	Pensò Pensava Ha pensato	che	io emergessi tu emergessi lui (lei, Lei) emergesse noi emergessimo voi emergeste loro emergessero

* Si coniugano come Emergere: *Immergere* (av.), *Riemergere*, *Sommergere* (av.).

90

Infinito		**ESCLUDERE**			
INDICATIVO	PRESENTE	escludo escludi esclude escludiamo escludete escludono			
	PRE PRO	sto	escludendo		
	IMPERFETTO	escludevo escludevi escludeva escludevamo escludevate escludevano			
	PASS PROS	ho	**escluso**		
	PASSATO REMOTO	**esclusi** escludesti **escluse** escludemmo escludeste **esclusero**			
	FUTURO SEMPLICE	escluderò escluderai escluderà escluderemo escluderete escluderanno			l'ipotesi sfavore-vole
CONDIZIONALE	PRESENTE	escluderei escluderesti escluderebbe escluderemmo escludereste escluderebbero			
IMPERATIVO	PRESENTE	– escludi escluda escludiamo escludete escludano			
CONGIUNTIVO	PRESENTE	Pensa	che	io escluda tu escluda lui (lei, Lei) escluda noi escludiamo voi escludiate loro escludano	
	IMPERFETTO	Pensò Pensava Ha pensato	che	io escludessi tu escludessi lui (lei, Lei) escludesse noi escludessimo voi escludeste loro escludessero	

Infinito		**ESPORRE**		
INDICATIVO	PRESENTE	espongo esponi espone esponiamo esponete espongono		
	PRES. PROG.	sto	esponendo	
	IMPERFETTO	esponevo esponevi esponeva esponevamo esponevate esponevano		
	PASS. PROS.	ho	esposto	
	PASSATO REMOTO	esposi esponesti espose esponemmo esponeste esposero		
	FUTURO SEMPLICE	esporrò esporrai esporrà esporremo esporrete esporranno		i fatti con chiarezza
CONDIZIONALE	PRESENTE	esporrei esporresti esporrebbe esporremmo esporreste esporrebbero		
IMPERATIVO	PRESENTE	– esponi esponga esponiamo esponete espongano		
CONGIUNTIVO	PRESENTE	Pensa	che	io **esponga** tu **esponga** lui (lei, Lei) **esponga** noi **esponiamo** voi **esponiate** loro **espongano**
	IMPERFETTO	Pensò Pensava Ha pensato	che	io **esponessi** tu **esponessi** lui (lei, Lei) **esponesse** noi **esponessimo** voi **esponeste** loro **esponessero**

92

Infinito		**ESPRIMERE ***			
I N D I C A T I V O	PRESENTE	esprimo esprimi esprime esprimiamo esprimete esprimono			l'opinione generale
	PRE- PRO	sto	esprimendo		
	IMPERFETTO	esprimevo esprimevi esprimeva esprimevamo esprimevate esprimevano			
	PASS. PROS	ho	**espresso**		
	PASSATO REMOTO	**espressi** esprimesti **espresse** esprimemmo esprimeste **espressero**			
	FUTURO SEMPLICE	esprimerò esprimerai esprimerà esprimeremo esprimerete esprimeranno			
CONDIZIONALE	PRESENTE	esprimerei esprimeresti esprimerebbe esprimeremmo esprimereste esprimerebbero			
IMPERATIVO	PRESENTE	– esprimi esprima esprimiamo esprimete esprimano			
C O N G I U N T I V O	PRESENTE	Pensa	che	io esprima tu esprima lui (lei, Lei) esprima noi esprimiamo voi esprimiate loro esprimano	
	IMPERFETTO	Pensò Pensava Ha pensato	che	io esprimessi tu esprimessi lui (lei, Lei) esprimesse noi esprimessimo voi esprimeste loro esprimessero	

* Si coniugano come Esprimere: *Opprimere, Reprimere, Sopprimere.*

Infinito		**FARE ***		
INDICATIVO	PRESENTE	**faccio** **fai** **fa** **facciamo** **fate** **fanno**		
	PRE. PRO.	sto	**facendo**	
	IMPERFETTO	**facevo** **facevi** **faceva** **facevamo** **facevate** **facevano**		
	PASS. PROS.	ho	**fatto**	
	PASSATO REMOTO	**feci** **facesti** **fece** **facemmo** **faceste** **fecero**		una passeggiata al corso
	FUTURO SEMPLICE	**farò** **farai** **farà** **faremo** **farete** **faranno**		
CONDIZIONALE	PRESENTE	**farei** **faresti** **farebbe** **faremmo** **fareste** **farebbero**		
IMPERATIVO	PRESENTE	**—** **fa (fai – fa')** **faccia** **facciamo** **fate** **facciano**		
CONGIUNTIVO	PRESENTE	Pensa	che	io **faccia** tu **faccia** lui (lei, Lei) **faccia** noi **facciamo** voi **facciate** loro **facciano**
	IMPERFETTO	Pensò Pensava Ha pensato	che	io **facessi** tu **facessi** lui (lei, Lei) **facesse** noi **facessimo** voi **faceste** loro **facessero**

* Si coniugano come Fare: *Contraffare, Disfare, Rifare, Soddisfare, Sopraffare.*

94

Infinito		**FINGERE**		
INDICATIVO	PRESENTE	fingo fingi finge fingiamo fingete fingono		
	PRE. PRO.	sto	fingendo	
	IMPERFETTO	fingevo fingevi fingeva fingevamo fingevate fingevano		
	PASS. PROS.	ho	**finto**	
	PASSATO REMOTO	**finsi** fingesti **finse** fingemmo fingeste **finsero**		
	FUTURO SEMPLICE	fingerò fingerai fingerà fingeremo fingerete fingeranno		di non aver capito
CONDIZIONALE	PRESENTE	fingerei fingeresti fingerebbe fingeremmo fingereste fingerebbero		
IMPERATIVO	PRESENTE	— fingi finga fingiamo fingete fingano		
CONGIUNTIVO	PRESENTE	Pensa	che	io finga tu finga lui (lei, Lei) finga noi fingiamo voi fingiate loro fingano
	IMPERFETTO	Pensò Pensava Ha pensato	che	io fingessi tu fingessi lui (lei, Lei) fingesse noi fingessimo voi fingeste loro fingessero

Infinito		GIUNGERE *			
INDICATIVO	PRESENTE	giungo giungi giunge giungiamo giungete giungono			
	PRE PRO	sto	giungendo		
	IMPERFETTO	giungevo giungevi giungeva giungevamo giungevate giungevano			
	PASS PROS	sono	giunto/a		
	PASSATO REMOTO	**giunsi** giungesti **giunse** giungemmo giungeste **giunsero**			all'appun- tamento in orario
	FUTURO SEMPLICE	giungerò giungerai giungerà giungeremo giungerete giungeranno			
CONDIZIONALE	PRESENTE	giungerei giungeresti giungerebbe giungeremmo giungereste giungerebbero			
IMPERATIVO	PRESENTE	– giungi giunga giungiamo giungete giungano			
CONGIUNTIVO	PRESENTE	Pensa	che	io giunga tu giunga lui (lei, Lei) giunga noi giungiamo voi giungete loro giungano	
	IMPERFETTO	Pensò Pensava Ha pensato	che	io giungessi tu giungessi lui (lei, Lei) giungesse noi giungessimo voi giungeste loro giungessero	

* Si coniugano come Giungere: *Congiungere* (av.), *Soggiungere* (av.), *Sopraggiungere*.

Infinito		**GODERE**		
INDICATIVO	PRESENTE	godo godi gode godiamo godete godono		dei successi altrui
	PRES PROG	sto	godendo	
	IMPERFETTO	godevo godevi godeva godevamo godevate godevano		
	PASS PROS	ho	goduto	
	PASSATO REMOTO	godei (-etti) godesti godé (-ette) godemmo godeste goderono (-ettero)		
	FUTURO SEMPLICE	**godrò** **godrai** **godrà** **godremo** **godrete** **godranno**		
CONDIZIONALE	PRESENTE	**godrei** **godresti** **godrebbe** **godremmo** **godreste** **godrebbero**		
IMPERATIVO	PRESENTE	– godi goda godiamo godete godano		
CONGIUNTIVO	PRESENTE	Pensa	che	io goda tu goda lui (lei, Lei) goda noi godiamo voi godiate loro godano
	IMPERFETTO	Pensò Pensava Ha pensato	che	io godessi tu godessi lui (lei, Lei) godesse noi godessimo voi godeste loro godessero

Infinito				**IMPORRE**	
INDICATIVO	PRESENTE	impongo imponi impone imponiamo imponete impongono			di rispettare gli accordi presi
	PRES. PRO.	sto	**imponendo**		
	IMPERFETTO	imponevo imponevi imponeva imponevamo imponevate imponevano			
	PASS. PROS.	ho	**imposto**		
	PASSATO REMOTO	imposi imponesti impose imponemmo imponeste imposero			
	FUTURO SEMPLICE	imporrò imporrai imporrà imporremo imporrete imporranno			
CONDIZIONALE	PRESENTE	imporrei imporresti imporrebbe imporremmo imporreste imporrebbero			
IMPERATIVO	PRESENTE	– imponi imponga imponiamo imponete impongano			
CONGIUNTIVO	PRESENTE	Pensa	che	io **imponga** tu **imponga** lui (lei, Lei) **imponga** noi **imponiamo** voi **imponete** loro **impongano**	
	IMPERFETTO	Pensò Pensava Ha pensato	che	io **imponessi** tu **imponessi** lui (lei, Lei) **imponesse** noi **imponessimo** voi **imponeste** loro **imponessero**	

Infinito		**INDURRE**			
INDICATIVO	PRESENTE	induco induci induce induciamo inducete inducono			
	PRE. PRO.	sto	inducendo		
	IMPERFETTO	inducevo inducevi induceva inducevamo inducevate inducevano			
	PASS. PROS.	ho	indotto		
	PASSATO REMOTO	indussi inducesti indusse inducemmo induceste indussero			
	FUTURO SEMPLICE	indurrò indurrai indurrà indurremo indurrete indurranno			Maria a parlare
CONDIZIONALE	PRESENTE	indurrei indurresti indurrebbe indurremmo indurreste indurrebbero			
IMPERATIVO	PRESENTE	– induci induca induciamo inducete inducano			
CONGIUNTIVO	PRESENTE	Pensa	che	io **induca** tu **induca** lui (lei, Lei) **induca** noi **induciamo** voi **induciate** loro **inducano**	
	IMPERFETTO	Pensò Pensava Ha pensato	che	io **inducessi** tu **inducessi** lui (lei, Lei) **inducesse** noi **inducessimo** voi **induceste** loro **inducessero**	

Infinito		**INSISTERE**			
		insisto insisti insiste insistiamo insistete insistono			
	PRESENTE				
	PRE. PRO.	sto	insistendo		
	IMPERFETTO	insistevo insistevi insisteva insistevamo insistevate insistevano			
INDICATIVO	PASS. PROS.	ho	**insistito**		
	PASSATO REMOTO	insistei insistesti insisté insistemmo insisteste insisterono			per convin- cerlo
	FUTURO SEMPLICE	insisterò insisterai insisterà insisteremo insisterete insisteranno			
CONDIZIONALE	PRESENTE	insisterei insisteresti insisterebbe insisteremmo insistereste insisterebbero			
IMPERATIVO	PRESENTE	– insisti insista insistiamo insistete insistano			
CONGIUNTIVO	PRESENTE	Pensa	che	io insista tu insista lui (lei, Lei) insista noi insistiamo voi insistiate loro insistano	
	IMPERFETTO	Pensò Pensava Ha pensato	che	io insistessi tu insistessi lui (lei, Lei) insistesse noi insistessimo voi insisteste loro insistessero	

Infinito			**INTENDERE ***		
INDICATIVO	PRESENTE		intendo intendi intende intendiamo intendete intendono		
	PRE PRO	sto	intendendo		
	IMPERFETTO		intendevo intendevi intendeva intendevamo intendevate intendevano		
	PASS PROS	ho	**inteso**		
	PASSATO REMOTO		**intesi** intendesti **intese** intendemmo intendeste **intesero**		
	FUTURO SEMPLICE		intenderò intenderai intenderà intenderemo intenderete intenderanno		bene
CONDIZIONALE	PRESENTE		intenderei intenderesti intenderebbe intenderemmo intendereste intenderebbero		
IMPERATIVO	PRESENTE		– intendi intenda intendiamo intendete intendano		
CONGIUNTIVO	PRESENTE	Pensa	che	io intenda tu intenda lui (lei, Lei) intenda noi intendiamo voi intendiate loro intendano	
	IMPERFETTO	Pensò Pensava Ha pensato	che	io intendessi tu intendessi lui (lei, Lei) intendesse noi intendessimo voi intendeste loro intendessero	

* Si coniugano come Intendere: *Fraintendere, Sottointendere, Sovrintendere.*

Infinito		INVADERE *		
INDICATIVO	PRESENTE	invado invadi invade invadiamo invadete invadono		
	PRES. PROG.	sto	invadendo	
	IMPERFETTO	invadevo invadevi invadeva invadevamo invadevate invadevano		
	PASS. PROS.	ho	**invaso**	
	PASSATO REMOTO	**invasi** invadesti **invase** invademmo invadeste **invasero**		
	FUTURO SEMPLICE	invaderò invaderai invaderà invaderemo invaderete invaderanno		il meno possibile il campo altrui
CONDIZIONALE	PRESENTE	invaderei invaderesti invaderebbe invaderemmo invadereste invaderebbero		
IMPERATIVO	PRESENTE	– invadi invada invadiamo invadete invadano		
CONGIUNTIVO	PRESENTE	Pensa	che	io invada tu invada lui (lei, Lei) invada noi invadiamo voi invadiate loro invadano
	IMPERFETTO	Pensò Pensava Ha pensato	che	io invadessi tu invadessi lui (lei, Lei) invadesse noi invadessimo voi invadeste loro invadessero

* Si coniuga come Invadere: *Evadere* (ess.).

102

Infinito		**LEGGERE ***			
INDICATIVO	PRESENTE	leggo leggi legge leggiamo leggete leggono			
	PRE./PRO.	sto	leggendo		
	IMPERFETTO	leggevo leggevi leggeva leggevamo leggevate leggevano			
	PASS./PROS.	ho	**letto**		
	PASSATO REMOTO	**lessi** leggesti **lesse** leggemmo leggeste **lessero**			
	FUTURO SEMPLICE	leggerò leggerai leggerà leggeremo leggerete leggeranno			un libro divertente
CONDIZIONALE	PRESENTE	leggerei leggeresti leggerebbe leggeremmo leggereste leggerebbero			
IMPERATIVO	PRESENTE	– leggi legga leggiamo leggete leggano			
CONGIUNTIVO	PRESENTE	Pensa	che	io legga tu legga lui (lei, Lei) legga noi leggiamo voi leggiate loro leggano	
	IMPERFETTO	Pensò Pensava Ha pensato	che	io leggessi tu leggessi lui (lei, Lei) leggesse noi leggessimo voi leggeste loro leggessero	

* Si coniugano come Leggere: *Proteggere, Reggere, Rileggere, Sorreggere.*

Infinito		**MANTENERE**		
INDICATIVO	PRESENTE	**mantengo** **mantieni** **mantiene** manteniamo mantenete **mantengono**		la parola data
	PRES. PROG.	sto	mantenendo	
	IMPERFETTO	mantenevo mantenevi manteneva mantenevamo mantenevate mantenevano		
	PASS. PROS.	ho	mantenuto	
	PASSATO REMOTO	**mantenni** mantenesti **mantenne** mantenemmo manteneste **mantennero**		
	FUTURO SEMPLICE	**manterrò** **manterrai** **manterrà** **manterremo** **manterrete** **manterranno**		
CONDIZIONALE	PRESENTE	**manterrei** **manterresti** **manterrebbe** **manterremmo** **manterreste** **manterrebbero**		
IMPERATIVO	PRESENTE	– **mantieni** **mantenga** manteniamo mantenete **mantengano**		
CONGIUNTIVO	PRESENTE	Pensa	che	io **mantenga** tu **mantenga** lui (lei, Lei) **mantenga** noi manteniamo voi manteniate loro **mantengano**
	IMPERFETTO	Pensò Pensava Ha pensato	che	io mantenessi tu mantenessi lui (lei, Lei) mantenesse noi mantenessimo voi manteneste loro mantenessero

Infinito		METTERE *			
INDICATIVO	PRESENTE	metto metti mette mettiamo mettete mettono			
	PRE. PRO.	sto	mettendo		
	IMPERFETTO	mettevo mettevi metteva mettevamo mettevate mettevano			
	PASS. PROS.	ho	**messo**		
	PASSATO REMOTO	**misi** mettesti **mise** mettemmo metteste **misero**			
	FUTURO SEMPLICE	metterò metterai metterà metteremo metterete metteranno			tutto in ordine
CONDIZIONALE	PRESENTE	metterei metteresti metterebbe metteremmo mettereste metterebbero			
IMPERATIVO	PRESENTE	– metti metta mettiamo mettete mettano			
CONGIUNTIVO	PRESENTE	Pensa	che	io metta tu metta lui (lei, Lei) metta noi mettiamo voi mettiate loro mettano	
	IMPERFETTO	Pensò Pensava Ha pensato	che	io mettessi tu mettessi lui (lei, Lei) mettesse noi mettessimo voi metteste loro mettessero	

* Si coniugano come Mettere: *Compromettere, Dimettere, Emettere, Omettere, Premettere, Scommettere, Sottomettere, Trasmettere.*

Infinito		MORIRE			
INDICATIVO	PRESENTE	muoio muori muore moriamo morite muoiono			di noia
	PRE. PRO.	sto	morendo		
	IMPERFETTO	morivo morivi moriva morivamo morivate morivano			
	PASS. PROS.	sono	**morto/a**		
	PASSATO REMOTO	morii moristi morì morimmo moriste morirono			
	FUTURO SEMPLICE	morirò/**rro** morirai/**rrai** morirà/**rrà** moriremo/**rremo** morirete/**rrete** moriranno/**rranno**			
CONDIZIONALE	PRESENTE	morirei/**rrei** moriresti/**rresti** morirebbe/**rrebbe** moriremmo/**rremo** morireste/**rreste** morirebbero/**rrebbero**			
IMPERATIVO	PRESENTE	– **muori** **muoia** moriamo morite **muoiano**			con dignità
CONGIUNTIVO	PRESENTE	Pensa	che	io **muoia** tu **muoia** lui (lei, Lei) **muoia** noi moriamo voi moriate loro **muoiano**	di noia
	IMPERFETTO	Pensò Pensava Ha pensato	che	io morissi tu morissi lui (lei, Lei) morisse noi morissimo voi moriste loro morissero	

Infinito		MUOVERE *		
INDICATIVO	PRESENTE	muovo muovi muove muoviamo/**moviamo** muovete/**movete** muovono		
	PRE. PRO.	sto	muovendo	
	IMPERFETTO	muovevo/**movevo** muovevi/**movevi** muoveva/**moveva** muovevamo/**movevamo** muovevate/**movevate** muovevano/**movevano**		
	PASS. PROS.	ho	**mosso**	
	PASSATO REMOTO	**mossi** muovesti/**movesti** **mosse** muovemmo/**movemmo** muoveste/**moveste** **mossero**		
	FUTURO SEMPLICE	muoverò/**moverò** muoverai/**moverai** muoverà/**moverà** muoveremo/**moveremo** muoverete/**moverete** muoveranno/**moveranno**		mari e monti per trovare lavoro
CONDIZIONALE	PRESENTE	muoverei/**moverei** muoveresti/**moveresti** muoverebbe/**moverebbe** muoveremmo/**moveremmo** muovereste/**movereste** muoverebbero/**moverebbero**		
IMPERATIVO	PRESENTE	– muovi muova muoviamo/**moviamo** muovete/**movete** muovano		
CONGIUNTIVO	PRESENTE	Pensa	che	io muova tu muova lui (lei, Lei) muova noi muoviamo/**moviamo** voi muoviate/**moviate** loro muovano
	IMPERFETTO	Pensò Pensava Ha pensato	che	io muovessi/**movessi** tu muovessi/**movessi** lui (lei, Lei) muovesse/**movesse** noi muovessimo/**movessimo** voi muoveste/**moveste** loro muovessero/**movessero**

107

* Si coniugano come Muovere: *Commuovere, Rimuovere, Smuovere.*

Infinito		**NASCERE ***			
INDICATIVO	PRESENTE	nasco nasci nasce nasciamo nascete nascono			
	PRE PRO	sto	nascendo		
	IMPERFETTO	nascevo nascevi nasceva nascevamo nascevate nascevano			
	PASS PROS	sono	**nato/a**		
	PASSATO REMOTO	**nacqui** nascesti **nacque** nascemmo nascesti **nacquero**			
	FUTURO SEMPLICE	nascerò nascerai nascerà nasceremo nascerete nasceranno			a nuova vita
CONDIZIONALE	PRESENTE	nascerei nasceresti nascerebbe nasceremmo nascereste nascerebbero			
IMPERATIVO	PRESENTE	– nasci nasca nasciamo nascete nascano			
CONGIUNTIVO	PRESENTE	Pensa	che	io nasca tu nasca lui (lei, Lei) nasca noi lasciamo voi nasciate loro nascano	
	IMPERFETTO	Pensò Pensava Ha pensato	che	io nascessi tu nascessi lui (lei, Lei) nascesse noi nascessimo voi nasceste loro nascessero	

* Si coniuga come Nascere: *Rinascere*.

Infinito		**NASCONDERE**			
INDICATIVO	PRESENTE	nascondo nascondi nasconde nascondiamo nascondete nascondono			la verità
	PRE PRO	sto	nascondendo		
	IMPERFETTO	nascondevo nascondevi nascondeva nascondevamo nascondevate nascondevano			
	PASS PROS	ho	**nascosto**		
	PASSATO REMOTO	**nascosi** nascondesti **nascose** nascondemmo nascondeste **nascosero**			
	FUTURO SEMPLICE	nasconderò nasconderai nasconderà nasconderemo nasconderete nasconderanno			
CONDIZIONALE	PRESENTE	nasconderei nasconderesti nasconderebbe nasconderemmo nascondereste nasconderebbero			
IMPERATIVO	PRESENTE	– nascondi nasconda nascondiamo nascondete nascondano			
CONGIUNTIVO	PRESENTE	Pensa	che	io nasconda tu nasconda lui (lei, Lei) nasconda noi nascondiamo voi nascondiate loro nascondano	
	IMPERFETTO	Pensò Pensava Ha pensato	che	io nascondessi tu nascondessi lui (lei, Lei) nascondesse noi nascondessimo voi nascondeste loro nascondessero	

Infinito				**OCCORRERE**		
INDICATIVO	PRESENTE	mi		occorre	molto tempo per	per completare il lavoro
				occorrono	molti mesi	
	PRE PRO			sta occorrendo	più del previsto	
	IMPERFETTO	ti		occorreva	molto denaro	per vivere all'estero
				occorrevano	molti soldi	
	PASSATO PROSSIMO	gli	è	**occorso**	molto tempo	per risolvere il problema
				occorsa	molta pazienza	
		le	sono	**occorsi**	molti minuti	
		Le		**occorse**	molte ore	
	PASSATO REMOTO	ci		**occorse**	molta calma in quell'occasione	
		vi		**occorsero**	mesi e mesi per scrivere la tesi di laurea	
	FUTURO SEMPLICE	gli		occorrerà	un periodo di riposo	
				occorreranno	due giorni di permesso	
CONDIZ.	PRESENTE			occorrerebbe	un vestito nuovo	
				occorrerebbero	molte cose	
CONGIUNTIVO	PRESENTE	Pensa	che	mi ti gli le Le ci vi gli	occorra	un aiuto finanziario
					occorrano	un paio di scarpe nuove
	IMPERFETTO	Pensava Pensò Ha pensato			occorresse	la consulenza di un esperto
					occorressero	dei vestiti nuovi

110

Infinito		**OFFENDERE**		
INDICATIVO	PRESENTE	offendo offendi offende offendiamo offendete offendono		
	PRES. PROG.	sto offendendo		
	IMPERFETTO	offendevo offendevi offendeva offendevamo offendevate offendevano		
	PASS. PROS.	ho **offeso**		
	PASSATO REMOTO	**offesi** offendesti **offese** offendemmo offendeste **offesero**		
	FUTURO SEMPLICE	offenderò offenderai offenderà offenderemo offenderete offenderanno		il meno possibile
CONDIZIONALE	PRESENTE	offenderei offenderesti offenderebbe offenderemmo offendereste offenderebbero		
IMPERATIVO	PRESENTE	– offendi offenda offendiamo offendete offendano		
CONGIUNTIVO	PRESENTE	Pensa	che	io offenda tu offenda lui (lei, Lei) offenda noi offendiamo voi offendiate loro offendano
	IMPERFETTO	Pensò Pensava Ha pensato	che	io offendessi tu offendessi lui (lei, Lei) offendesse noi offendessimo voi offendeste loro offendessero

Infinito		**OFFRIRE**			
INDICATIVO	PRESENTE	offro offri offre offriamo offrite offrono			
	PRES PROG	sto	offrendo		
	IMPERFETTO	offrivo offrivi offriva offrivamo offrivate offrivano			
	PASS PROS	ho	**offerto**		
	PASSATO REMOTO	offrii offristi offrì offrimmo offriste offrirono			
	FUTURO SEMPLICE	offrirò offrirai offrirà offriremo offrirete offriranno			da bere agli ospiti
CONDIZIONALE	PRESENTE	offrirei offriresti offrirebbe offriremmo offrireste offrirebbero			
IMPERATIVO	PRESENTE	– offri offra offriamo offrite offrano			
CONGIUNTIVO	PRESENTE	Pensa	che	io offra tu offra tu (lei, Lei) offra noi offriamo voi offriate loro offrano	
	IMPERFETTO	Pensò Pensava Ha pensato	che	io offrissi tu offrissi lui (lei, Lei) offrisse noi offrissimo voi offriste loro offrissero	

Infinito		**OTTENERE**			
INDICATIVO	PRESENTE	**ottengo** **ottieni** **ottiene** otteniamo ottenete **ottengono**			
	PRE. PRO.	sto	ottenendo		
	IMPERFETTO	ottenevo ottenevi otteneva ottenevamo ottenevate ottenevano			
	PASS. PROSS.	ho	**ottenuto**		
	PASSATO REMOTO	**ottenni** ottenesti **ottenne** ottenemmo otteneste **ottennero**			
	FUTURO SEMPLICE	**otterrò** **otterrai** **otterrà** **otterremo** **otterrete** **otterranno**			un grosso successo
CONDIZIONALE	PRESENTE	**otterrei** **otterresti** **otterrebbe** **otterremmo** **otterreste** otterrebbero			
IMPERATIVO	PRESENTE	– **ottieni** **ottenga** otteniamo ottenete **ottengano**			
CONGIUNTIVO	PRESENTE	Pensa	che	io **ottenga** tu **ottenga** lui (lei, Lei) **ottenga** noi otteniamo voi otteniate loro **ottengano**	
	IMPERFETTO	Pensò Pensava Ha pensato	che	io ottenessi tu ottenessi lui (lei, Lei) ottenesse noi ottenessimo voi otteneste loro ottenessero	

113

Infinito					PARERE	
INDICATIVO	PRESENTE	mi	pare			di avere capito tutto
	IMPERFETTO	ti	pareva			
	PASSATO PROSSIMO	gli le	è	**parso**		
	PASSATO REMOTO	Le	**parve**			
	FUTURO SEMPLICE	ci vi	**parrà**			
CONDIZIONALE	PRESENTE	gli	**parrebbe**			
IMPERATIVO	PRESENTE		———			
CONGIUNTIVO	PRESENTE	Pensa		che	mi ti gli le Le ci vi gli	**paia**
	IMPERFETTO	Pensava Pensò Ha pensato				paresse

14

Infinito		**PERDERE ***			
I N D I C A T I V O	PRESENTE	perdo perdi perde perdiamo perdete perdono			
	PRE. PROG	sto	perdendo		
	IMPERFETTO	perdevo perdevi perdeva perdevamo perdevate perdevano			
	PASS. PROS.	ho	perduto (**perso**)		
	PASSATO REMOTO	**persi** perdesti **perse** perdemmo perdeste **persero**			
	FUTURO SEMPLICE	perderò perderai perderà perderemo perderete perderanno			questa brutta abitudine
CONDIZIONALE	PRESENTE	perderei perderesti perderebbe perderemmo perdereste perderebbero			
IMPERATIVO	PRESENTE	– perdi perda perdiamo perdete perdano			
C O N G I U N T I V O	PRESENTE	Pensa	che	io perda tu perda lui (lei, Lei) perda noi perdiamo voi perdiate loro perdano	
	IMPERFETTO	Pensò Pensava Ha pensato	che	io perdessi tu perdessi lui (lei, Lei) perdesse noi perdessimo voi perdeste loro perdessero	

* Si coniugano come Perdere: *Disperdere, Sperdere.*

Infinito		**PERSUADERE ***			
		persuado			
		persuadi			
	PRESENTE	persuade			
		persuadiamo			
		persuadete			
		persuadono			
	PRE. PRO.	sto	persuadendo		
		persuadevo			
		persuadevi			
	IMPERFETTO	persuadeva			
		persuadevamo			
		persuadevate			
		persuadevano			
	PASS. PROS.	ho	**persuaso**		
I N D I C A T I V O		**persuasi**			
		persuadesti			
	PASSATO REMOTO	**persuase**			
		persuademmo			
		persuadeste			
		persuasero			
		persuaderò			Carlo a studiare
		persuaderai			
	FUTURO SEMPLICE	persuaderà			
		persuaderemo			
		persuaderete			
		persuaderanno			
CONDIZIONALE	PRESENTE	persuaderei			
		persuaderesti			
		persuaderebbe			
		persuaderemmo			
		persuadereste			
		persuaderebbero			
IMPERATIVO	PRESENTE	–			
		persuadi			
		persuada			
		persuadiamo			
		persuadete			
		persuadano			
C O N G I U N T I V O	PRESENTE	Pensa	che	io persuada tu persuada lui (lei, Lei) persuada noi persuadiamo voi persuadiate loro persuadano	
	IMPERFETTO	Pensò Pensava Ha pensato	che	io persuadessi tu persuadessi lui (lei, Lei) persuadesse noi persuadessimo voi persuadeste loro persuadessero	

* Si coniuga come Persuadere: *Dissuadere.*

Infinito				PIACERE *	
I N D I C A T I V O	PRESENTE	**piaccio** piaci piace piaciamo/**piacciamo** piacete **piacciono**			molto a Maria
	PRE. PRO.	sto	piacendo		
	IMPERFETTO	piacevo piacevi piaceva piacevamo piacevate piacevano			
	PASS. PROS.	sono	**piaciuto/a**		
	PASSATO REMOTO	**piacqui** piacesti **piacque** piacemmo piaceste **piacquero**			
	FUTURO SEMPLICE	piacerò piacerai piacerà piaceremo piacerete piaceranno			
CONDIZIONALE	PRESENTE	piacerei piaceresti piacerebbe piaceremmo piacereste piacerebbero			
IMPERATIVO	PRESENTE	———			
C O N G I U N T I V O	PRESENTE	Pensa	che	io **piaccia** tu **piaccia** lui (lei, Lei) **piaccia** noi **piacciamo** voi **piacciate** loro **piacciano**	
	IMPERFETTO	Pensò Pensava Ha pensato	che	io piacessi tu piacessi lui (lei, Lei) piacesse noi piacessimo voi piaceste loro piacessero	

* Si coniugano come Piacere: *Dispiacere, Giacere.*

Infinito					PIACERE	
I N D I C A T I V O	PRESENTE	mi			piace	viaggiare
					piacciono	i fiori
	PRE. PRO.				sta piacendo	il nuovo lavoro
	IMPERFETTO	ti			piaceva	lo spettacolo
					piacevano	i quadri di quel pittore
	PASSATO PROSSIMO	gli	è		**piaciuto**	il concerto di ieri sera
					piaciuta	la visita al museo
		le	sono		**piaciuti**	i monumenti di Perugia
		Le			**piaciute**	le chiese di Assisi
	PASSATO REMOTO	ci			**piacque**	l'idea di visitare un Paese orientale
		vi			**piacquero**	i regali ricevuti per il compleanno
	FUTURO SEMPLICE	gli			piacerà	vedere quel film
					piaceranno	questi nuovi libri
CONDIZ.	PRESENTE				piacerebbe	andare a trovare Maria
					piacerebbero	tante cose
C O N G I U N T I V O	PRESENTE	Pensa	che	mi ti gli le Le ci vi gli	**piaccia**	il vino
					piacciano	gli spaghetti
	IMPERFETTO	Pensava Pensò Ha pensato			piacesse	la birra
					piacessero	le specialità gastronomiche umbre

118

Infinito			**PIANGERE ***		
I N D I C A T I V O	PRESENTE	piango piangi piange piangiamo piangete piangono			
	PRE. PRO.	sto	piangendo		
	IMPERFETTO	piangevo piangevi piangeva piangevamo piangevate piangevano			
	PASS. PROS.	ho	**pianto**		
	PASSATO REMOTO	**piansi** piangesti **pianse** piangemmo piangeste **piansero**			
	FUTURO SEMPLICE	piangerò piangerai piangerà piangeremo piangerete piangeranno			di gioia
CONDIZIONALE	PRESENTE	piangerei piangeresti piangerebbe piangeremmo piangereste piangerebbero			
IMPERATIVO	PRESENTE	– piangi pianga piangiamo piangete piangano			
C O N G I U N T I V O	PRESENTE	Pensa	che	io pianga tu pianga lui (lei, Lei) pianga noi piangiamo voi piangiate loro piangano	
	IMPERFETTO	Pensò Pensava Ha pensato	che	io piangessi tu piangessi lui (lei, Lei) piangesse noi piangessimo voi piangeste loro piangessero	

119

* Si coniugano come Piangere: *Compiangere, Infrangere, Rimpiangere.*

Infinito		**PIOVERE**		
INDICATIVO	PRESENTE	piove		a dirotto
	PRE. PRO.	sta piovendo		
	IMPERFETTO	pioveva		
	PASSATO PROSSIMO	è / ha piovuto		
	PASSATO REMOTO	**piovve**		
	FUTURO SEMPLICE	pioverà		
CONDIZIONALE	PRESENTE	pioverebbe		
IMPERATIVO	PRESENTE	———		
CONGIUNTIVO	PRESENTE	Pensa	che	piova
	IMPERFETTO	Pensava Pensò Ha pensato		piovesse

Infinito		**PORGERE ***			
INDICATIVO	PRESENTE	porgo porgi porge porgiamo porgete porgono			
	PRES. PROG.	sto	porgendo		
	IMPERFETTO	porgevo porgevi porgeva porgevamo porgevate porgevano			
	PASS. PROSS.	ho	**porto**		
	PASSATO REMOTO	**porsi** porgesti **porse** porgemmo porgeste **porsero**			
	FUTURO SEMPLICE	porgerò porgerai porgerà porgeremo porgerete porgeranno			la mano per salutare
CONDIZIONALE	PRESENTE	porgerei porgeresti porgerebbe porgeremmo porgereste porgerebbero			
IMPERATIVO	PRESENTE	– porgi porga porgiamo porgete porgano			
CONGIUNTIVO	PRESENTE	Pensa	che	io porga tu porga lui (lei, Lei) porga noi porgiamo voi porgiate loro porgano	
	IMPERFETTO	Pensò Pensava Ha pensato	che	io porgessi tu porgessi lui (lei, Lei) porgesse noi porgessimo voi porgeste loro porgessero	

* Si coniugano come Porgere: *Insorgere* (ess.), *Risorgere* (ess.), *Scorgere*, *Sorgere* (ess.).

Infinito		**PORRE ***			
INDICATIVO	PRESENTE	pongo poni pone poniamo ponete pongono			
	PRES. PROG.	sto	ponendo		
	IMPERFETTO	ponevo ponevi poneva ponevamo ponevate ponevano			
	PASS. PROS.	ho	posto		
	PASSATO REMOTO	posi ponesti pose ponemmo poneste posero			
	FUTURO SEMPLICE	porrò porrai porrà porremo porrete porranno			una domanda difficile
CONDIZIONALE	PRESENTE	porrei porresti porrebbe porremmo porreste porrebbero			
IMPERATIVO	PRESENTE	— poni ponga poniamo ponete pongano			
CONGIUNTIVO	PRESENTE	Pensa	che	io **ponga** tu **ponga** lui (lei, Lei) **ponga** noi **poniamo** voi **poniate** loro **pongano**	
	IMPERFETTO	Pensò Pensava Ha pensato	che	io **ponessi** tu **ponessi** lui (lei, Lei) **ponesse** noi **ponessimo** voi **poneste** loro **ponessero**	

* Si coniugano come Porre: *Deporre, Opporre, Predisporre, Preporre, Presupporre, Riproporre, Scomporre, Sottoporre.*

Infinito		**POTERE ***			
I N D I C A T I V O	PRESENTE	**posso** **puoi** **può** **possiamo** potete **possono**			telefonare a casa
	PRE. PRO.	** —			
	IMPERFETTO	potevo potevi poteva potevamo potevate potevano			
	PASS. PROSS.	ho	potuto		
		sono	potuto/a		uscire
	PASSATO REMOTO	potei (-etti) potesti poté (-ette) potemmo poteste poterono (-ettero)			
	FUTURO SEMPLICE	**potrò** **potrai** **potrà** **potremo** **potrete** **potranno**			telefonare a casa
CONDIZIONALE	PRESENTE	**potrei** **potresti** **potrebbe** **potremmo** **potreste** **potrebbero**			
IMPERATIVO	PRESENTE	—————			
C O N G I U N T I V O	PRESENTE	Pensa	che	io **possa** tu **possa** lui (lei, Lei) **possa** noi **possiamo** voi **possiate** loro **possano**	** Il gerun- dio è: *po- tendo*.
	IMPERFETTO	Pensò Pensava Ha pensato	che	io potessi tu potessi lui (lei, Lei) potesse noi potessimo voi poteste loro potessero	

123

* Usato come verbo servile, può coniugarsi con l'aus. avere o essere secondo l'infinito
con cui si unisce. Usato in senso assoluto si coniuga con l'ausiliare avere: (es.: *Sei
andato a lezione ieri? No, non ho potuto*).

Infinito		**PRENDERE ***			
INDICATIVO	PRESENTE	prendo prendi prende prendiamo prendete prendono			un caffè al bar
	PRE. PRO.	sto	prendendo		
	IMPERFETTO	prendevo prendevi prendeva prendevamo prendevate prendevano			
	PASS. PROS.	ho	**preso**		
	PASSATO REMOTO	**presi** prendesti **prese** prendemmo prendeste **presero**			
	FUTURO SEMPLICE	prenderò prenderai prenderà prenderemo prenderete prenderanno			
CONDIZIONALE	PRESENTE	prenderei prenderesti prenderebbe prenderemmo prendereste prenderebbero			
IMPERATIVO	PRESENTE	– prendi prenda prendiamo prendete prendano			
CONGIUNTIVO	PRESENTE	Pensa	che	io prenda tu prenda lui (lei, Lei) prenda noi prendiamo voi prendiate loro prendano	
	IMPERFETTO	Pensò Pensava Ha pensato	che	io prendessi tu prendessi lui (lei, Lei) prendesse noi prendessimo voi prendeste loro prendessero	

124

* Si coniugano come Prendere: *Contendere, Distendere, Fraintendere, Intraprendere, Pretendere, Riprendere, Sospendere, Sottintendere, Tendere.*

Infinito		**PREVEDERE**			
I N D I C A T I V O	PRESENTE	prevedo prevedi prevede prevediamo prevedete prevedono			
	PRE. PRO.	sto	prevedendo		
	IMPERFETTO	prevedevo prevedevi prevedeva prevedevamo prevedevate prevedevano			
	PASS. PROS.	ho	**previsto**		
	PASSATO REMOTO	**previdi** prevedesti **previde** prevedemmo prevedeste **previdero**			
	FUTURO SEMPLICE	**prevedrò** **prevedrai** **prevedrà** **prevedremo** **prevedrete** **prevedranno**		il futuro	
CONDIZIONALE	PRESENTE	**prevedrei** **prevedresti** **prevedrebbe** **prevedremmo** **prevedreste** **prevedrebbero**			
IMPERATIVO	PRESENTE	– prevedi preveda prevediamo prevedete prevedano			
C O N G I U N T I V O	PRESENTE	Pensa	che	io preveda tu preveda lui (lei, Lei) preveda noi prevediamo voi prevediate loro prevedano	
	IMPERFETTO	Pensò Pensava Ha pensato	che	io prevedessi tu prevedessi lui (lei, Lei) prevedesse noi prevedessimo voi prevedeste loro prevedessero	

Infinito		**PRODURRE**			
I N D I C A T I V O	PRESENTE	produco produci produce produciamo producete producono			tutti i certificati richiesti
	PRE. PRO.	sto	producendo		
	IMPERFETTO	producevo producevi produceva producevamo producevate producevano			
	PASS. PROSS.	ho	prodotto		
	PASSATO REMOTO	produssi producesti produsse producemmo produceste produssero			
	FUTURO SEMPLICE	produrrò produrrai produrrà produrremo produrrete produrranno			
CONDIZIONALE	PRESENTE	produrrei produrresti produrrebbe produrremmo produrreste produrrebbero			
IMPERATIVO	PRESENTE	— produci produca produciamo producete producano			
C O N G I U N T I V O	PRESENTE	Pensa	che	io **produca** tu **produca** lui (lei, Lei) **produca** noi **produciamo** voi **produciate** loro **producano**	
	IMPERFETTO	Pensò Pensava Ha pensato	che	io **producessi** tu **producessi** lui (lei, Lei) **producesse** noi **producessimo** voi **produceste** loro **producessero**	

126

Infinito		PROMETTERE *			
INDICATIVO	PRESENTE	prometto prometti promette promettiamo promettete promettono			di non dire più bugie
	PRE. PRO.	sto	promettendo		
	IMPERFETTO	promettevo promettevi prometteva promettevamo promettevate promettevano			
	PASS. PROS.	ho	**promesso**		
	PASSATO REMOTO	**promisi** promettesti **promise** promettemmo prometteste **promisero**			
	FUTURO SEMPLICE	prometterò prometterai prometterà prometteremo prometterete prometteranno			
CONDIZIONALE	PRESENTE	prometterei prometteresti prometterebbe prometteremmo promettereste prometterebbero			
IMPERATIVO	PRESENTE	– prometti prometta promettiamo promettete promettano			
CONGIUNTIVO	PRESENTE	Pensa	che	io prometta tu prometta lui lei, Lei) prometta noi promettiamo voi promettiate loro promettano	
	IMPERFETTO	Pensò Pensava Ha pensato	che	io promettessi tu promettessi lui (lei, Lei) promettesse noi promettessimo voi prometteste loro promettessero	

* Si coniuga come Promettere: *Ripromettere*.

Infinito		**PROMUOVERE**			
INDICATIVO	PRESENTE	promuovo promuovi promuove **promoviamo** **promovete** promuovono			gli studenti meritevoli
	PRE. PRO	sto	promuovendo		
	IMPERFETTO	**promuovevo**/promovevo **promovevi** **promoveva** promovevamo promovevate promovevano			
	PASS. PROS.	ho	**promosso**		
	PASSATO REMOTO	**promossi** **promovesti**/promuovesti **promosse** **promovemmo** **promoveste** **promossero**			
	FUTURO SEMPLICE	**promoverò**/promuoverò **promoverai** **promoverà** **promoveremo** **promoverete** **promoveranno**			
CONDIZIONALE	PRESENTE	**promoverei**/promuoverei **promoveresti** **promoverebbe** **promoveremmo** **promovereste** **promoverebbero**			
IMPERATIVO	PRESENTE	– promuovi promuova **promoviamo** **promovete** promuovano			
CONGIUNTIVO	PRESENTE	Pensa	che	io promuova tu promuova lui (lei, Lei) promuova noi **promoviamo** voi **promoviate** loro promuovano	
	IMPERFETTO	Pensò Pensava Ha pensato	che	io **promovessi** tu **promovessi** lui (lei, Lei) **promovesse** noi **promovessimo** voi **promoveste** loro **promovessero**	

Spero che stasera ~~potete~~ venire a casa mia.

SCHEMA RIASSUNTIVO DEL CONGIUNTIVO

(ora) penso	che	lui	stia	...ando ...endo ...endo	(ora)
			sia abbia ...i (...are) ...a (...ere) ...a (...ire) ...isca (...ire)		(ora)
					(ogni giorno)
					←
			abbia sia	...ato ...uto ...ito	(ieri)
			...rà		(domani)
	di			...are ...ere ...ire	(ora)
					(domani)
			avere essere	...ato ...uto ...ito	(ieri)

(ieri alle 8) Pensavo Pensai Ho pensato	che	lui	stesse	...ando ...endo ...endo	(ieri alle 8)
			...sse		(ieri alle 8)
					(azione abituale nel passato)
					←
			avesse fosse	...ato ...uto ...ito	(ieri alle 7)
			avrebbe sarebbe	...ato ...uto ...ito	(ieri alle 9)
	di			...are ...ere ...ire	(ieri alle 8)
					(ieri alle 9)
			avere essere	...ato ...uto ...ito	(ieri alle 7)

Infinito		**PROPORRE**			
INDICATIVO	PRESENTE	propongo proponi propone proponiamo proponete propongono			
	PRE. PRO.	sto	proponendo		
	IMPERFETTO	proponevo proponevi proponeva proponevamo proponevate proponevano			
	PASS. PROS.	ho	proposto		
	PASSATO REMOTO	proposi proponesti propose proponemmo proponeste proposero			l'adozione di questo libro
	FUTURO SEMPLICE	proporrò proporrai proporrà proporremo proporrete proporranno			
CONDIZIONALE	PRESENTE	proporrei proporresti proporrebbe proporremmo proporreste proporrebbero			
IMPERATIVO	PRESENTE	– proponi proponga proponiamo proponete propongano			
CONGIUNTIVO	PRESENTE	Pensa	che	io **proponga** tu **proponga** lui (lei, Lei) **proponga** noi **proponiamo** voi **proponiate** loro **propongano**	
	IMPERFETTO	Pensò Pensava Ha pensato	che	io **proponessi** tu **proponessi** lui (lei, Lei) **proponesse** noi **proponessimo** voi **proponeste** loro **proponessero**	

Infinito		**PROVVEDERE**		
INDICATIVO	PRESENTE	provvedo provvedi provvede provvediamo provvedete provvedono		al mantenimento della famiglia
	PRE. PRO.	sto	provvedendo	
	IMPERFETTO	provvedevo provvedevi provvedeva provvedevamo provvedevate provvedevano		
	PASS. PROS.	ho	provveduto	
	PASSATO REMOTO	**provvidi** provvedesti **provvide** provvedemmo provvedeste **provvidero**		
	FUTURO SEMPLICE	provvederò provvederai provvederà provvederemo provvederete provvederanno		
CONDIZIONALE	PRESENTE	provvederei provvederesti provvederebbe provvederemmo provvedereste provvederebbero		
IMPERATIVO	PRESENTE	– provvedi provveda provvediamo provvedete provvedano		
CONGIUNTIVO	PRESENTE	Pensa	che	io provveda tu provveda lui (lei, Lei) provveda noi provvediamo voi provvediate loro provvedano
	IMPERFETTO	Pensò Pensava Ha pensato	che	io provvedessi tu provvedessi lui (lei, Lei) provvedesse noi provvedessimo voi provvedeste loro provvedessero

Infinito		**RACCOGLIERE**		
I N D I C A T I V O	PRESENTE	**raccolgo** **raccogli** raccoglie **raccogliamo** raccogliete **raccolgono**		le fragole in giardino
	PRE. PRO.	sto	raccogliendo	
	IMPERFETTO	raccoglievo raccoglievi raccoglieva raccoglievamo raccoglievate raccoglievano		
	PASS. PROS.	ho	**raccolto**	
	PASSATO REMOTO	**raccolsi** raccogliesti **raccolse** raccogliemmo raccoglieste **raccolsero**		
	FUTURO SEMPLICE	raccoglierò raccoglierai raccoglierà raccoglieremo raccoglierete raccoglieranno		
CONDIZIONALE	PRESENTE	raccoglierei raccoglieresti raccoglierebbe raccoglieremmo raccogliereste raccoglierebbero		
IMPERATIVO	PRESENTE	– **raccogli** **raccolga** **raccogliamo** raccogliete **raccolgano**		
C O N G I U N T I V O	PRESENTE	Pensa	che	io **raccolga** tu **raccolga** lui (lei, Lei) **raccolga** noi **raccogliamo** voi **raccogliate** loro **raccolgano**
	IMPERFETTO	Pensò Pensava Ha pensato	che	io raccogliessi tu raccogliessi lui (lei, Lei) raccogliesse noi raccogliessimo voi raccoglieste loro raccogliessero

Infinito		**RAGGIUNGERE ***			
INDICATIVO	PRESENTE	raggiungo raggiungi raggiunge raggiungiamo raggiungete raggiungono			
	PRE PRO	sto	raggiungendo		
	IMPERFETTO	raggiungevo raggiungevi raggiungeva raggiungevamo raggiungevate raggiungevano			
	PASS PROS	ho	**raggiunto**		
	PASSATO REMOTO	**raggiunsi** raggiungesti **raggiunse** raggiungemmo raggiungeste **raggiunsero**			
	FUTURO SEMPLICE	raggiungerò raggiungerai raggiungerà raggiungeremo raggiungerete raggiungeranno			il posto di lavoro in treno
CONDIZIONALE	PRESENTE	raggiungerei raggiungeresti raggiungerebbe raggiungeremmo raggiungereste raggiungerebbero			
IMPERATIVO	PRESENTE	– raggiungi raggiunga raggiungiamo raggiungete raggiungano			
CONGIUNTIVO	PRESENTE	Pensa	che	io raggiunga tu raggiunga lui (lei, Lei) raggiunga noi raggiungiamo voi raggiungiate loro raggiungano	
	IMPERFETTO	Pensò Pensava Ha pensato	che	io raggiungessi tu raggiungessi lui (lei, Lei) raggiungesse noi raggiungessimo voi raggiungeste loro raggiungessero	

* Si coniugano come Raggiungere: *Soggiungere, Sopraggiungere* (ess.).

Infinito		**RENDERE**			
I N D I C A T I V O	PRESENTE	rendo rendi rende rendiamo rendete rendono			
	PRE. PRO.	sto	rendendo		
	IMPERFETTO	rendevo rendevi rendeva rendevamo rendevate rendevano			
	PASS. PROS.	ho	**reso**		
	PASSATO REMOTO	**resi** rendesti **rese** rendemmo rendeste **resero**			
	FUTURO SEMPLICE	renderò renderai renderà renderemo renderete renderanno			il libro a Paolo
CONDIZIONALE	PRESENTE	renderei renderesti renderebbe renderemmo rendereste renderebbero			
IMPERATIVO	PRESENTE	— rendi renda rendiamo rendete rendano			
C O N G I U N T I V O	PRESENTE	Pensa	che	io renda tu renda lui (lei, Lei) renda noi rendiamo voi rendiate loro rendano	
	IMPERFETTO	Pensò Pensava Ha pensato	che	io rendessi tu rendessi lui (lei, lei) rendesse noi rendessimo voi rendeste loro rendessero	

Infinito		**RESISTERE**			
INDICATIVO	PRESENTE	resisto resisti resiste resistiamo resistete resistono			con tutte le forze
	PRE PRO	sto	resistendo		
	IMPERFETTO	resistevo resistevi resisteva resistevamo resistevate resistevano			
	PASS PROS	ho	**resistito**		
	PASSATO REMOTO	resistei (-etti) resistesti resisté (-ette) resistemmo resisteste resisterono (-ettero)			
	FUTURO SEMPLICE	resisterò resisterai resisterà resisteremo resisterete resisteranno			
CONDIZIONALE	PRESENTE	resisterei resisteresti resisterebbe resisteremmo resistereste resisterebbero			
IMPERATIVO	PRESENTE	– resisti resista resistiamo resistete resistano			
CONGIUNTIVO	PRESENTE	Pensa	che	io resista tu resista lui (lei, Lei) resista noi resistiamo voi resistiate loro resistano	
	IMPERFETTO	Pensò Pensava Ha pensato	che	io resistessi tu resistessi lui (lei, Lei) resistesse noi resistessimo voi resisteste loro resistessero	

Infinito		**RICONOSCERE**			
I N D I C A T I V O	PRESENTE	riconosco riconosci riconosce riconosciamo riconoscete riconoscono			di aver sbagliato
	PRE. PRO.	sto	riconoscendo		
	IMPERFETTO	riconoscevo riconoscevi riconosceva riconoscevamo riconoscevate riconoscevano			
	PASS. PROS.	ho	**riconosciuto**		
	PASSATO REMOTO	**riconobbi** riconoscesti **riconobbe** riconoscemmo riconosceste **riconobbero**			
	FUTURO SEMPLICE	riconoscerò riconoscerai riconoscerà riconosceremo riconoscerete riconosceranno			
CONDIZIONALE	PRESENTE	riconoscerei riconosceresti riconoscerebbe riconosceremmo riconoscereste riconoscerebbero			
IMPERATIVO	PRESENTE	– riconosci riconosca riconosciamo riconoscete riconoscano			
C O N G I U N T I V O	PRESENTE	Pensa	che	io riconosca tu riconosca lui (lei, Lei) riconosca noi riconosciamo voi riconosciate loro riconoscano	
	IMPERFETTO	Pensò Pensava Ha pensato	che	io riconoscessi tu riconoscessi lui (lei, Lei) riconoscesse noi riconoscessimo voi riconosceste loro riconoscessero	

Infinito				RIDERE *	
INDICATIVO	PRESENTE	rido ridi ride ridiamo ridete ridono			per non piangere
	PRE. PRO.	sto	ridendo		
	IMPERFETTO	ridevo ridevi rideva ridevamo ridevate ridevano			
	PASS. PROS.	ho	**riso**		
	PASSATO REMOTO	**risi** ridesti **rise** ridemmo rideste **risero**			
	FUTURO SEMPLICE	riderò riderai riderà rideremo riderete rideranno			
CONDIZIONALE	PRESENTE	riderei rideresti riderebbe rideremmo ridereste riderebbero			
IMPERATIVO	PRESENTE	– ridi rida ridiamo ridete ridano			
CONGIUNTIVO	PRESENTE	Pensa	che	io rida tu rida lui (lei, Lei) rida noi ridiamo voi ridiate loro ridano	
	IMPERFETTO	Pensò Pensava Ha pensato	che	io ridessi tu ridessi lui (lei, Lei) ridesse noi ridessimo voi rideste loro ridessero	

* Si coniuga come Ridere: *Deridere*.

Infinito				**RIDURRE**		
I N D I C A T I V O	PRESENTE	riduco riduci riduce riduciamo riducete riducono				
	PRE. PRO.	sto		riducendo		
	IMPERFETTO	riducevo riducevi riduceva riducevamo riducevate riducevano				
	PASS. PROS.	ho		ridotto		
	PASSATO REMOTO	ridussi riducesti ridusse riducemmo riduceste ridussero				le spese
	FUTURO SEMPLICE	ridurrò ridurrai ridurrà ridurremo ridurrete ridurranno				
CONDIZIONALE	PRESENTE	ridurrei ridurresti ridurrebbe ridurremno ridurreste ridurrebbero				
IMPERATIVO	PRESENTE	– riduci riduca riduciamo riducete riducano				
C O N G I U N T I V O	PRESENTE	Pensa	che	io **riduca** tu **riduca** lui (lei, Lei) **riduca** noi **riduciamo** voi **riduciate** loro **riducano**		
	IMPERFETTO	Pensò Pensava Ha pensato	che	io **riducessi** tu **riducessi** lui (lei, Lei) **riducesse** noi **riducessimo** voi **riduceste** loro **riducessero**		

Infinito		**RIEMPIRE**			
I N D I C A T I V O	PRESENTE	**riempio** riempi **riempie** riempiamo riempite **riempiono**			
	PRE PRO	sto	**riempiendo**		
	IMPERFETTO	riempivo riempivi riempiva riempivamo riempivate riempivano			
	PASS PROS	ho	riempito		
	PASSATO REMOTO	riempii riempisti riempì riempimmo riempiste riempirono			
	FUTURO SEMPLICE	riempirò riempirai riempirà riempiremo riempirete riempiranno			il modulo per la domanda
CONDIZIONALE	PRESENTE	riempirei riempiresti riempirebbe riempiremmo riempireste riempirebbero			
IMPERATIVO	PRESENTE	– riempi **riempia** riempiamo riempite **riempiano**			
C O N G I U N T I V O	PRESENTE	Pensa	che	io **riempia** tu **riempia** lui (lei, Lei) **riempia** noi riempiamo voi riempiate loro **riempiano**	
	IMPERFETTO	Pensò Pensava Ha pensato	che	io riempissi tu riempissi lui (lei, Lei) riempisse noi riempissimo voi riempiste loro riempissero	

140

Infinito		**RIFLETTERE**		
INDICATIVO	PRESENTE	rifletto rifletti riflette riflettiamo riflettete riflettono		
	PRES. PRO.	sto	riflettendo	
	IMPERFETTO	riflettevo riflettevi rifletteva riflettevamo riflettevate riflettevano		
	PASS. PROS.	ho	riflettuto	
	PASSATO REMOTO	**riflessi** (-ettei) riflettesti **riflesse** (-etté) riflettemmo rifletteste **riflessero** (-etterono)		
	FUTURO SEMPLICE	rifletterò rifletterai rifletterà rifletteremo rifletterete rifletteranno		prima di parlare
CONDIZIONALE	PRESENTE	rifletterei rifletteresti rifletterebbe rifletteremmo riflettereste rifletterebbero		
IMPERATIVO	PRESENTE	– rifletti rifletta riflettiamo riflettete riflettano		
CONGIUNTIVO	PRESENTE	Pensa	che	io rifletta tu rifletta lui (lei, Lei) rifletta noi riflettiamo voi riflettiate loro riflettano
	IMPERFETTO	Pensava Pensò Ha pensato	che	io riflettessi tu riflettessi lui (lei, Lei) riflettesse noi riflettessimo voi rifletteste loro riflettessero

Infinito		**RIMANERE**		
INDICATIVO	PRESENTE	**rimango** rimani rimane rimaniamo rimanete **rimangono**		
	PASS. PROS.	* –	–	
	IMPERFETTO	rimanevo rimanevi rimaneva rimanevamo rimanevate rimanevano		
	PASS. PROS.	sono	**rimasto/a**	
	PASSATO REMOTO	**rimasi** rimanesti **rimase** rimanemmo rimaneste **rimasero**		
	FUTURO SEMPLICE	**rimarrò** **rimarrai** **rimarrà** **rimarremo** **rimarrete** **rimarranno**		da Maria per il fine settimana
CONDIZIONALE	PRESENTE	**rimarrei** **rimarresti** **rimarrebbe** **rimarremmo** **rimarreste** **rimarrebbero**		
IMPERATIVO	PRESENTE	– rimani **rimanga** rimaniamo rimanete **rimangano**		
CONGIUNTIVO	PRESENTE	Pensa	che	io **rimanga** tu **rimanga** lui (lei, Lei) **rimanga** noi rimaniamo voi rimaniate loro **rimangano**
	IMPERFETTO	Pensava Pensò Ha pensato	che	io rimanessi tu rimanessi lui (lei, Lei) rimanesse noi rimanessimo voi rimaneste loro rimanessero

* Il gerundio è: *rimanendo*.

Infinito		**RIMETTERE**			
	PRESENTE	rimetto rimetti rimette rimettiamo rimettete rimettono			
I N D I C A T I V O	PRE. PRO.	sto	rimettendo		
	IMPERFETTO	rimettevo rimettevi rimetteva rimettevamo rimettevate rimettevano			
	PASS. PROS.	ho	**rimesso**		
	PASSATO REMOTO	**rimisi** rimettesti **rimise** rimettemmo rimetteste **rimisero**			
	FUTURO SEMPLICE	rimetterò rimetterai rimetterà rimetteremo rimetterete rimetteranno			tutto a posto
CONDIZIONALE	PRESENTE	rimetterei rimetteresti rimetterebbe rimetteremmo rimettereste rimetterebbero			
IMPERATIVO	PRESENTE	– rimetti rimetta rimettiamo rimettete rimettano			
C O N G I U N T I V O	PRESENTE	Pensa	che	io rimetta tu rimetta lui (lei, Lei) rimetta noi rimettiamo voi rimettiate loro rimettano	
	IMPERFETTO	Pensava Pensò Ha pensato	che	io rimettessi tu rimettessi lui (lei, Lei) rimettesse noi rimettessimo voi rimetteste loro rimettessero	

Infinito		**RISOLVERE**		
I N D I C A T I V O	PRESENTE	risolvo risolvi risolve risolviamo risolvete risolvono		un grosso problema
	PRE PRO	sto	risolvendo	
	IMPERFETTO	risolvevo risolvevi risolveva risolvevamo risolvevate risolvevano		
	PASS PROS	ho	**risolto**	
	PASSATO REMOTO	**risolsi** risolvesti **risolse** risolvemmo risolveste **risolsero**		
	FUTURO SEMPLICE	risolverò risolverai risolverà risolveremo risolverete risolveranno		
CONDIZIONALE	PRESENTE	risolverei risolveresti risolverebbe risolveremmo risolvereste risolverebbero		
IMPERATIVO	PRESENTE	– risolvi risolva risolviamo risolvete risolvano		
C O N G I U N T I V O	PRESENTE	Pensa	che	io risolva tu risolva lui (lei, Lei) risolva noi risolviamo voi risolviate loro risolvano
	IMPERFETTO	Pensava Pensò Ha pensato	che	io risolvessi tu risolvessi lui (lei, Lei) risolvesse noi risolvessimo voi risolveste loro risolvessero

Infinito			RISPONDERE *		
INDICATIVO	PRESENTE	rispondo rispondi risponde rispondiamo rispondete rispondono			a tutte le domande
	PRE PRO	sto	rispondendo		
	IMPERFETTO	rispondevo rispondevi rispondeva rispondevamo rispondevate rispondevano			
	PASS PROS	ho	**risposto**		
	PASSATO REMOTO	**risposi** rispondesti **rispose** rispondemmo rispondeste **risposero**			
	FUTURO SEMPLICE	risponderò risponderai risponderà risponderemo risponderete risponderanno			
CONDIZIONALE	PRESENTE	risponderei risponderesti risponderebbe risponderemmo rispondereste risponderebbero			
IMPERATIVO	PRESENTE	– rispondi risponda rispondiamo rispondete rispondano			
CONGIUNTIVO	PRESENTE	Pensa	che	io risponda tu risponda lui (lei, Lei) risponda noi rispondiamo voi rispondiate loro rispondano	
	IMPERFETTO	Pensava Pensò Ha pensato	che	io rispondessi tu rispondessi lui (lei, Lei) rispondesse noi rispondessimo voi rispondeste loro rispondessero	

* Si coniuga come Rispondere: *Corrispondere*.

Infinito		**RITENERE**			
I N D I C A T I V O	PRESENTE	**ritengo** **ritieni** **ritiene** riteniamo ritenete **ritengono**			sbagliata la risposta
	PRE. PRO.	sto	ritenendo		
	IMPERFETTO	ritenevo ritenevi riteneva ritenevamo ritenevate ritenevano			
	PASS. PROS.	ho	ritenuto		
	PASSATO REMOTO	**ritenni** ritenesti **ritenne** ritenemmo riteneste **ritennero**			
	FUTURO SEMPLICE	**riterrò** **riterrai** **riterrà** **riterremo** **riterrete** **riterranno**			
CONDIZIONALE	PRESENTE	**riterrei** **riterresti** **riterrebbe** **riterremmo** **riterreste** **riterrebbero**			
IMPERATIVO	PRESENTE	— **ritieni** **ritenga** riteniamo ritenete **ritengano**			
C O N G I U N T I V O	PRESENTE	Pensa	che	io **ritenga** tu **ritenga** lui (lei, Lei) **ritenga** noi riteniamo voi riteniate loro **ritengano**	
	IMPERFETTO	Pensava Pensò Ha pensato	che	io ritenessi tu ritenessi lui (lei, Lei) ritenesse noi ritenessimo voi riteneste loro ritenessero	

146

Infinito		**RIUSCIRE**			
INDICATIVO	PRESENTE	**riesco** **riesci** **riesce** riusciamo riuscite **riescono**			a non perdere la calma
	PRE. PRO.	sto	riuscendo		
	IMPERFETTO	riuscivo riuscivi riusciva riuscivamo riuscivate riuscivano			
	PAS. PROS.	sono	riuscito/a		
	PASSATO REMOTO	riuscii riuscisti riuscì riuscimmo riusciste riuscirono			
	FUTURO SEMPLICE	riuscirò riuscirai riuscirà riusciremo riuscirete riusciranno			
CONDIZIONALE	PRESENTE	riuscirei riusciresti riuscirebbe riusciremmo riuscireste riuscirebbero			
IMPERATIVO	PRESENTE	– **riesci** **riesca** riusciamo riuscite **riescano**			
CONGIUNTIVO	PRESENTE	Pensa	che	io **riesca** tu **riesca** lui (lei, Lei) **riesca** noi riusciamo voi riusciate loro **riescano**	
	IMPERFETTO	Pensava Pensò Ha pensato	che	io riuscissi tu riuscissi lui (lei, Lei) riuscisse noi riuscissimo voi riusciste loro riuscissero	

Infinito		ROMPERE *		
INDICATIVO	PRESENTE	rompo rompi rompe rompiamo rompete rompono		
	PRE.PRO.	sto	rompendo	
	IMPERFETTO	rompevo rompevi rompeva rompevamo rompevate rompevano		
	PASS.PROS.	ho	**rotto**	
	PASSATO REMOTO	**ruppi** rompesti **ruppe** rompemmo rompeste **ruppero**		
	FUTURO SEMPLICE	romperò romperai romperà romperemo romperete romperanno		tutto
CONDIZIONALE	PRESENTE	romperei romperesti romperebbe romperemmo rompereste romperebbero		
IMPERATIVO	PRESENTE	– rompi rompa rompiamo rompete rompano		
CONGIUNTIVO	PRESENTE	Pensa	che	io rompa tu rompa lui (lei, Lei) rompa noi rompiamo voi rompiate loro rompano
	IMPERFETTO	Pensava Pensò Ha pensato	che	io rompessi tu rompessi lui (lei, Lei) rompesse noi rompessimo voi rompeste loro rompessero

148

* Si coniuga come Rompere: *Interrompere*.

Infinito		**SALIRE**			
I N D I C A T I V O	PRESENTE	**salgo** sali sale saliamo salite **salgono**			
	PRE. PROG.	sto	salendo		
	IMPERFETTO	salivo salivi saliva salivamo salivate salivano			le scale in fretta
	PASS. PROSS.	ho * sono	salito salito, a		sul treno
	PASSATO REMOTO	salii salisti salì salimmo saliste salirono			
	FUTURO SEMPLICE	salirò salirai salirà saliremo salirete saliranno			
CONDIZIONALE	PRESENTE	salirei saliresti salirebbe saliremmo salireste salirebbero			le scale in fretta
IMPERATIVO	PRESENTE	– sali **salga** saliamo salite **salgano**			
C O N G I U N T I V O	PRESENTE	Pensa	che	io **salga** tu **salga** lui (lei, Lei) **salga** noi saliamo voi saliate loro **salgano**	
	IMPERFETTO	Pensò Pensava Ha pensato	che	io salissi tu salissi lui (lei, Lei) salisse noi salissimo voi saliste loro salissero	

149

* Si usa l'aus. *Essere* quando l'azione è considerata in rapporto ad un luogo espresso o sottinteso.

Infinito		**SAPERE**				
INDICATIVO	PRESENTE	**so** **sai** **sa** **sappiamo** sapete **sanno**				tutta la verità
	PRES. PROG.		*			
	IMPERFETTO	sapevo sapevi sapeva sapevamo sapevate sapevano				
	PASS. PROS.	ho	saputo			
	PASSATO REMOTO	**seppi** sapesti **seppe** sapemmo sapeste **seppero**				
	FUTURO SEMPLICE	**saprò** **saprai** **saprà** **sapremo** **saprete** **sapranno**				
CONDIZIONALE	PRESENTE	**saprei** **sapresti** **saprebbe** **sapremmo** **sapreste** **saprebbero**				
IMPERATIVO	PRESENTE	– **sappi** **sappia** **sappiamo** **sappiate** **sappiano**				
CONGIUNTIVO	PRESENTE	Pensa	che	io **sappia** tu **sappia** lui (lei, Lei) **sappia** noi **sappiamo** voi **sappiate** loro **sappiano**		
	IMPERFETTO	Pensava Pensò Ha pensato	che	io sapessi tu sapessi lui (lei, Lei) sapesse noi sapessimo voi sapeste loro sapessero		

150

* Il gerundio è: *sapendo*.

Infinito		**SCEGLIERE**		
INDICATIVO	PRESENTE	**scelgo** **scegli** sceglie **scegliamo** scegliete **scelgono**		
	PRE. PRO.	sto	scegliendo	
	IMPERFETTO	sceglievo sceglievi sceglieva sceglievamo sceglievate sceglievano		
	PASS. PROS.	ho	**scelto**	
	PASSATO REMOTO	**scelsi** scegliesti **scelse** scegliemmo sceglieste **scelsero**		
	FUTURO SEMPLICE	sceglierò sceglierai sceglierà sceglieremo sceglierete sceglieranno		una cravatta adatta al nuovo vestito
CONDIZIONALE	PRESENTE	sceglierei sceglieresti sceglierebbe sceglieremmo scegliereste sceglierebbero		
IMPERATIVO	PRESENTE	– **scegli** **scelga** **scegliamo** scegliete **scelgano**		
CONGIUNTIVO	PRESENTE	Pensa	che	io **scelga** tu **scelga** lui (lei, Lei) **scelga** noi **scegliamo** voi **scegliate** loro **scelgano**
	IMPERFETTO	Pensava Pensò Ha pensato	che	io scegliessi tu scegliessi lui (lei, Lei) scegliesse noi scegliessimo voi sceglieste loro scegliessero

Infinito			**SCENDERE**		
INDICATIVO	PRESENTE	scendo scendi scende scendiamo scendete scendono			le scale
	PRES. PROG.	sto	scendendo		
	IMPERFETTO	scendevo scendevi scendeva scendevamo scendevate scendevano			
	PASS. PROS.	ho **sceso**			
		* sono **sceso/a**			dal treno
	PASSATO REMOTO	**scesi** scendesti **scese** scendemmo scendeste **scesero**			
	FUTURO SEMPLICE	scenderò scenderai scenderà scenderemo scenderete scenderanno			le scale
CONDIZIONALE	PRESENTE	scenderei scenderesti scenderebbe scenderemmo scendereste scenderebbero			
IMPERATIVO	PRESENTE	– scendi scenda scendiamo scendete scendano			
CONGIUNTIVO	PRESENTE	Pensa	che	io scenda tu scenda lui (lei, Lei) scenda noi scendiamo voi scendiate essi scendano	
	IMPERFETTO	Pensò Pensava Ha pensato	che	io scendessi tu scendessi lui (lei, Lei) scendesse noi scendessimo voi scendeste loro scendessero	

152

* Si usa l'aus. *Essere* quando l'azione è considerata in rapporto ad un luogo espresso o sottinteso.

Infinito		SCOPRIRE *			
INDICATIVO	PRESENTE	scopro scopri scopre scopriamo scoprite scoprono			
	PRE PRO	sto	scoprendo		
	IMPERFETTO	scoprivo scoprivi scopriva scoprivamo scoprivate scoprivano			
	PASS PROS	ho	**scoperto**		
	PASSATO REMOTO	scoprii scopristi scoprì scoprimmo scopriste scoprirono			l'errore
	FUTURO SEMPLICE	scoprirò scoprirai scoprirà scopriremo scoprirete scopriranno			
CONDIZIONALE	PRESENTE	scoprirei scopriresti scoprirebbe scopriremmo scoprireste scoprirebbero			
IMPERATIVO	PRESENTE	– scopri scopra scopriamo scoprite scoprano			
CONGIUNTIVO	PRESENTE	Pensa	che	io scopra tu scopra lui (lei, Lei) scopra noi scopriamo voi scopriate loro scoprano	
	IMPERFETTO	Pensava Pensò Ha pensato	che	io scoprissi tu scoprissi lui (lei, Lei) scoprisse noi scoprissimo voi scopriste loro scoprissero	

* Si coniuga come Scoprire: *Riscoprire.*

Infinito		SCRIVERE *			
INDICATIVO	PRESENTE	scrivo scrivi scrive scriviamo scrivete scrivono			una lettera a Gaia
	PRE. PRO.	sto	scrivendo		
	IMPERFETTO	scrivevo scrivevi scriveva scrivevamo scrivevate scrivevano			
	PASS. PROS.	ho	**scritto**		
	PASSATO REMOTO	**scrissi** scrivesti **scrisse** scrivemmo scriveste **scrissero**			
	FUTURO SEMPLICE	scriverò scriverai scriverà scriveremo scriverete scriveranno			
CONDIZIONALE	PRESENTE	scriverei scriveresti scriverebbe scriveremmo scrivereste scriverebbero			
IMPERATIVO	PRESENTE	– scrivi scriva scriviamo scrivete scrivano			
CONGIUNTIVO	PRESENTE	Pensa	che	io scriva tu scriva lui (lei, Lei) scriva noi scriviamo voi scriviate loro scrivano	
	IMPERFETTO	Pensava Pensò Ha pensato	che	io scrivessi tu scrivessi lui (lei, Lei) scrivesse noi scrivessimo voi scriveste loro scrivessero	

154

* Si coniuga come Scrivere: *Iscrivere, Prescrivere, Sottoscrivere, Trascrivere.*

Infinito		SEDERE *		
	PRESENTE	**siedo/seggo** **siedi** **siede** sediamo sedete **siedono/seggono**		
	PRE. PRO.	– **		
	IMPERFETTO	sedevo sedevi sedeva sedevamo sedevate sedevano		
I N D I C A T I V O	PASS. PROS.	sono	seduto/a	
	PASSATO REMOTO	sedei sedesti sedé sedemmo sedeste sederono		
	FUTURO SEMPLICE	sederò sederai sederà sederemo sederete sederanno		a tavola
CONDIZIONALE	PRESENTE	sederei sederesti sederebbe sederemmo sedereste sederebbero		
IMPERATIVO	PRESENTE	– **siedi** **sieda** sediamo sedete **siedano**		
C O N G I U N T I V O	PRESENTE	Pensa	che	io **sieda (segga)** tu **sieda (segga)** lui (lei, Lei) **(segga)** noi sediamo voi sediate loro **siedano (seggano)**
	IMPERFETTO	Pensava Pensò Ha pensato	che	io sedessi tu sedessi lui (lei, Lei) sedesse noi sedessimo voi sedeste loro sedessero

* Si coniugano come Sedere: *Possedere, Soprassedere* (av.).
** Il gerundio è *sedendo*.

155

Infinito		**SMETTERE**			
INDICATIVO	PRESENTE	smetto smetti smette smettiamo smettete smettono			di fumare
	PRES. PROG.	sto	smettendo		
	IMPERFETTO	smettevo smettevi smetteva smettevamo smettevate smettevano			
	PASS. PROS.	ho	**smesso**		
	PASSATO REMOTO	**smisi** smettesti **smise** smettemmo smetteste **smisero**			
	FUTURO SEMPLICE	smetterò smetterai smetterà smetteremo smetterete smetteranno			
CONDIZIONALE	PRESENTE	smetterei smetteresti smetterebbe smetteremmo smettereste smetterebbero			
IMPERATIVO	PRESENTE	– smetti smetta smettiamo smettete smettano			
CONGIUNTIVO	PRESENTE	Pensa	che	io smetta tu smetta lui (lei, Lei) smetta noi smettiamo voi smettiate loro smettano	
	IMPERFETTO	Pensava Pensò Ha pensato	che	io smettessi tu smettessi lui (lei, Lei) smettesse noi smettessimo voi smetteste loro smettessero	

Infinito		**SOFFRIRE**			
INDICATIVO	PRESENTE	soffro soffri soffre soffriamo soffrite soffrono			in silenzio
	PRE. PRO.	sto	soffrendo		
	IMPERFETTO	soffrivo soffrivi soffriva soffrivamo soffrivate soffrivano			
	PASS. PROS.	ho	**sofferto**		
	PASSATO REMOTO	soffrii soffristi soffrì soffrimmo soffriste soffrirono			
	FUTURO SEMPLICE	soffrirò soffrirai soffrirà soffriremo soffrirete soffriranno			
CONDIZIONALE	PRESENTE	soffrirei soffriresti soffrirebbe soffriremmo soffrireste soffrirebbero			
IMPERATIVO	PRESENTE	– soffri soffra soffriamo soffrite soffrano			
CONGIUNTIVO	PRESENTE	Pensa	che	io soffra tu soffra lui (lei, Lei) soffra noi soffriamo voi soffriate loro soffrano	
	IMPERFETTO	Pensava Pensò Ha pensato	che	io soffrissi tu soffrissi lui (lei, Lei) soffrisse noi soffrissimo voi soffriste loro soffrissero	

Infinito		**SORPRENDERE**			
INDICATIVO	PRESENTE	sorprendo sorprendi sorprende sorprendiamo sorprendete sorprendono			
	PRE PRO	sto	sorprendendo		
	IMPERFETTO	sorprendevo sorprendevi sorprendeva sorprendevamo sorprendevate sorprendevano			
	PASS PROS	ho	**sorpreso**		
	PASSATO REMOTO	**sorpresi** sorprendesti **sorprese** sorprendemmo sorprendeste **sorpresero**			
	FUTURO SEMPLICE	sorprenderò sorprenderai sorprenderà sorprenderemo sorprenderete sorprenderanno			il ladro in flagrante
CONDIZIONALE	PRESENTE	sorprenderei sorprenderesti sorprenderebbe sorprenderemmo sorprendereste sorprenderebbero			
IMPERATIVO	PRESENTE	– sorprendi sorprenda sorprendiamo sorprendete sorprendano			
CONGIUNTIVO	PRESENTE	Pensa	che	io sorprenda tu sorprenda lui (lei, Lei) sorprenda noi sorprendiamo voi sorprendiate loro sorprendano	
	IMPERFETTO	Pensava Pensò Ha pensato	che	io sorprendessi tu sorprendessi lui (lei, Lei) sorprendesse noi sorprendessimo voi sorprendeste loro sorprendessero	

Infinito		**SORRIDERE**		
INDICATIVO	PRESENTE	sorrido sorridi sorride sorridiamo sorridete sorridono		
	PRES. PROG.	sto	sorridendo	
	IMPERFETTO	sorridevo sorridevi sorrideva sorridevamo sorridevate sorridevano		
	PASS. PROS.	ho	**sorriso**	
	PASSATO REMOTO	**sorrisi** sorridesti **sorrise** sorridemmo sorrideste **sorrisero**		
	FUTURO SEMPLICE	sorriderò sorriderai sorriderà sorrideremo sorriderete sorrideranno		per com- piacere ai presenti
CONDIZIONALE	PRESENTE	sorriderei sorrideresti sorriderebbe sorrideremmo sorridereste sorriderebbero		
IMPERATIVO	PRESENTE	– sorridi sorrida sorridiamo sorridete sorridano		
CONGIUNTIVO	PRESENTE	Pensa	che	io sorrida tu sorrida lui (lei, Lei) sorrida noi sorridiamo voi sorridiate loro sorridano
	IMPERFETTO	Pensava Pensò Ha pensato	che	io sorridessi tu sorridessi lui (lei, Lei) sorridesse noi sorridessimo voi sorrideste loro sorridessero

Infinito		**SOSTENERE**		
INDICATIVO	PRESENTE	**sostengo** **sostieni** **sostiene** sosteniamo sostenete **sostengono**		un esame impegnativo
	PRES. PROG.	sto	sostenendo	
	IMPERFETTO	sostenevo sostenevi sosteneva sostenevamo sostenevate sostenevano		
	PASS. PROS.	ho	sostenuto	
	PASSATO REMOTO	**sostenni** sostenesti **sostenne** sostenemmo sosteneste **sostennero**		
	FUTURO SEMPLICE	**sosterrò** **sosterrai** **sosterrà** **sosterremo** **sosterrete** **sosterranno**		
CONDIZIONALE	PRESENTE	**sosterrei** **sosterresti** **sosterrebbe** **sosterremmo** **sosterreste** **sosterrebbero**		
IMPERATIVO	PRESENTE	– **sostieni** **sostenga** sosteniamo sostenete **sostengano**		
CONGIUNTIVO	PRESENTE	Pensa	che	io **sostenga** tu **sostenga** lui (lei, Lei) **sostenga** noi sosteniamo voi sosteniate loro **sostengano**
	IMPERFETTO	Pensava Pensò Ha pensato	che	io sostenessi tu sostenessi lui (lei, Lei) sostenesse noi sostenessimo voi sosteneste loro sostenessero

Infinito		**SPARGERE ***			
I N D I C A T I V O	PRESENTE	spargo spargi sparge spargiamo spargete spargono			
	PRES. PROG.	sto	spargendo		
	IMPERFETTO	spargevo spargevi spargeva spargevamo spargevate spargevano			
	PASS. PROS.	ho	**sparso**		
	PASSATO REMOTO	**sparsi** spargesti **sparse** spargemmo spargeste **sparsero**			la notizia ai quattro venti
	FUTURO SEMPLICE	spargerò spargerai spargerà spargeremo spergerete spargeranno			
CONDIZIONALE	PRESENTE	spargerei spargeresti spargerebbe spargeremmo spargereste spargerebbero			
IMPERATIVO	PRESENTE	– spargi sparga spargiamo spargete spargano			
C O N G I U N T I V O	PRESENTE	Pensa	che	io sparga tu sparga lui (lei, Lei) sparga noi spargiamo voi spargiate loro spargano	
	IMPERFETTO	Pensava Pensò Ha pensato	che	io spargessi ti spargessi lui (lei, Lei) spargesse noi spargessimo voi spargeste loro spargessero	

* Si coniuga come Spargere: *Cospargere.*

Infinito			**SPEGNERE ***	
INDICATIVO	PRESENTE		**spengo** spegni spegne spengiamo spegnete **spengono**	la televisione
	PRE PRO	sto	spegnendo	
	IMPERFETTO		spegnevo spegnevi spegneva spegnevamo spegnevate spegnevano	
	PASS PROS	ho	**spento**	
	PASSATO REMOTO		**spensi** spegnesti **spense** spegnemmo spegneste **spensero**	
	FUTURO SEMPLICE		spegnerò spegnerai spegnerà spegneremo spegnerete spegneranno	
CONDIZIONALE	PRESENTE		spegnerei spegneresti spegnerebbe spegneremmo spegnereste spegnerebbero	
IMPERATIVO	PRESENTE		– spegni **spenga** spegniamo spegnete **spengano**	
CONGIUNTIVO	PRESENTE	Pensa	che	io **spenga** tu **spenga** lui (lei, Lei) **spenga** noi spegniamo voi spegniate loro **spengano**
	IMPERFETTO	Pensò Pensava Ha pensato	che	io spegnessi tu spegnessi lui (lei, Lei) spegnesse noi spegnessimo voi spegneste loro spegnessero

* Si coniuga come Spegnere: *Spengere*.

Infinito		**SPENDERE**		
INDICATIVO	PRESENTE	spendo spendi spende spendiamo spendete spendono		
	PRE. PRO.	sto	spendendo	
	IMPERFETTO	spendevo spendevi spendeva spendevamo spendevate spendevano		
	PASS. PROS.	ho	**speso**	
	PASSATO REMOTO	**spesi** spendesti **spese** spendemmo spendeste **spesero**		
	FUTURO SEMPLICE	spenderò spenderai spenderà spenderemo spenderete spenderanno		molti soldi in Italia
CONDIZIONALE	PRESENTE	spenderei spenderesti spenderebbe spenderemmo spendereste spenderebbero		
IMPERATIVO	PRESENTE	— spendi spenda spendiamo spendete spendano		
CONGIUNTIVO	PRESENTE	Pensa	che	io spenda tu spenda lui (lei, Lei) spenda noi spendiamo voi spendiate loro spendano
	IMPERFETTO	Pensò Pensava Ha pensato	che	io spendessi tu spendessi lui (lei, Lei) spendesse noi spendessimo voi spendeste loro spendessero

Infinito		**SPINGERE**			
INDICATIVO	PRESENTE	spingo spingi spinge spingiamo spingete spingono			avanti la poltrona
	PRES. PROG.	sto	spingendo		
	IMPERFETTO	spingevo spingevi spingeva spingevamo spingevate spingevano			
	PASS. PROSS.	ho	**spinto**		
	PASSATO REMOTO	**spinsi** spingesti **spinse** spingemmo spingeste **spinsero**			
	FUTURO SEMPLICE	spingerò spingerai spingerà spingeremo spingerete spingeranno			
CONDIZIONALE	PRESENTE	spingerei spingeresti spingerebbe spingeremmo spingereste spingerebbero			
IMPERATIVO	PRESENTE	— spingi spinga spingiamo spingete spingano			
CONGIUNTIVO	PRESENTE	Pensa	che	io spinga tu spinga lui (lei, Lei) spinga noi spingiamo voi spingiate loro spingano	
	IMPERFETTO	Pensò Pensava Ha pensato	che	io spingessi tu spingessi lui (lei, Lei) spingesse noi spingessimo voi spingeste loro spingessero	

Infinito			STARE *		
I N D I C A T I V O	PRESENTE		sto **stai** sta stiamo state **stanno**		a casa
	PRE. PRO.		–	**	
	IMPERFETTO		stavo stavi stava stavamo stavate stavano		
	PASS. PROS.		sono	stato/a	
	PASSATO REMOTO		**stetti** **stesti** **stette** **stemmo** **steste** **stettero**		
	FUTURO SEMPLICE		**starò** **starai** **starà** **staremo** **starete** **staranno**		
CONDIZIONALE	PRESENTE		**starei** **staresti** **starebbe** **staremmo** **stareste** **starebbero**		
IMPERATIVO	PRESENTE		– sta (**stai** – sta') **stia** stiamo state **stiano (state)**		
C O N G I U N T I V O	PRESENTE	Pensa	che	io **stia** tu **stia** lui (lei, Lei) **stia** noi stiamo voi stiate loro **stiano**	
	IMPERFETTO	Pensò Pensava Ha pensato	che	io **stessi** tu **stessi** lui (lei, Lei) **stesse** noi **stessimo** voi **steste** loro **stessero**	

* Si coniuga come Stare: *Sottostare.*
** Il gerundio è: *stando.*

Infinito		**STENDERE**		
INDICATIVO	PRESENTE	stendo stendi stende stendiamo stendete stendono		le camicie al sole
	PRES. PROG.	sto	stendendo	
	IMPERFETTO	stendevo stendevi stendeva stendevamo stendevate stendevano		
	PASS. PROS.	ho	**steso**	
	PASSATO REMOTO	**stesi** stendesti **stese** stendemmo stendeste **stesero**		
	FUTURO SEMPLICE	stenderò stenderai stenderà stenderemo stenderete stenderanno		
CONDIZIONALE	PRESENTE	stenderei stenderesti stenderebbe stenderemmo stendereste stenderebbero		
IMPERATIVO	PRESENTE	– stendi stenda stendiamo stendete stendano		
CONGIUNTIVO	PRESENTE	Pensa	che	io stenda tu stenda lui (lei, Lei) stenda noi stendiamo voi stendiate loro stendano
	IMPERFETTO	Pensò Pensava Ha pensato	che	io stendessi tu stendessi lui (lei, Lei) stendesse noi stendessimo voi stendeste loro stendessero

Vorrei che ora lui **fosse** qui con me.

CONGIUNTIVO DIPENDENTE DAL CONDIZIONALE

						(ora)
	vorrei	che	lui		...sse	(ogni giorno)
	desidererei					(domani)
(Ora)	mi piacerebbe			avesse	...ato	
	sarebbe meglio				...uto	(ieri)
	sarebbe necessario					
	occorrerebbe			fosse	...ito	
	bisognerebbe					

Vorrei che lui mi telefona**sse** ora.

Sarebbe meglio che lui veni**sse** a lezione ogni giorno.

Desiderei che lui domani non parti**sse**.

Sarebbe necessario che lui ave**sse** studi**ato** di più.

						(ieri)
	avrei voluto	che	lui		...sse	
	avrei desiderato					
(Ieri)	mi sarebbe piaciuto			avesse	...ato	
	sarebbe stato meglio				...uto	(l'altro ieri)
	sarebbe stato necessario					
	sarebbe occorso			fosse	...ito	

Avrei voluto che lui face**sse** tutti gli esercizi.

Avrei desiderato che mi ave**sse** telefon**ato** prima.

Sarebbe stato necessario che lui fo**sse** and**ato** in segreteria prima di cominciare il corso.

Infinito		**STRINGERE ***		
I N D I C A T I V O	PRESENTE	stringo stringi stringe stringiamo stringete stringono		
	PRE PRO	sto	stringendo	
	IMPERFETTO	stringevo stringevi stringeva stringevamo stringevate stringevano		
	PASS PROS	ho	**stretto**	
	PASSATO REMOTO	**strinsi** stringesti **strinse** stringemmo stringeste **strinsero**		
	FUTURO SEMPLICE	stringerò stringerai stringerà stringeremo stringerete stringeranno		la mano al nuovo arrivato
CONDIZIONALE	PRESENTE	stringerei stringeresti stringerebbe stringeremmo stringereste stringerebbero		
IMPERATIVO	PRESENTE	– stringi stringa stringiamo stringete stringano		
C O N G I U N T I V O	PRESENTE	Pensa	che	io stringa tu stringa lui (lei, Lei) stringa noi stringiamo voi stringiate loro stringano
	IMPERFETTO	Pensò Pensava Ha pensato	che	io stringessi tu stringessi lui (lei, Lei) stringesse noi stringessimo voi stringeste loro stringessero

169

* Si coniugano come Stringere: *Restringere, Ristringere.*

Infinito				SUCCEDERE *		
INDICATIVO	PRESENTE	mi ti gli le Le ci vi gli		succede		raramente di chiedere scusa
				succedono		sempre fatti strani
	PRE. PRO.			sta succedendo		un po' di tutto
	IMPERFETTO			succedeva		di non ricordare niente
				succedevano		sempre fatti nuovi
	PASSATO PROSSIMO		è	**successo**		un incidente stradale
				successa		una cosa insolita
			sono	**successi**		episodi incredibili
				successe		tante cose negli ultimi tempi
	PASSATO REMOTO			**successe**		di perdere il portafoglio
				successero		cose veramente incredibili
	FUTURO SEMPLICE			succederà		qualcosa di inatteso
				succederanno		eventi imprevedibili
CONDIZ.	PRESENTE			succederebbe		qualcosa di bello
				succederebbero		degli imprevisti
CONGIUNTIVO	PRESENTE	Pensa	che	mi ti gli le Le ci vi gli	succeda	qualcosa di interessante
					succedano	cose spiacevoli
	IMPERFETTO	Pensava Pensò Ha pensato			succedesse	qualcosa di nuovo
					succedessero	cose piacevoli

* Si usa il verbo impersonale *Succedere* anche senza i pronomi indiretti. Es.: *Che cosa è successo. Niente di importante.*

Infinito		**SUPPORRE**		
INDICATIVO	PRESENTE	suppongo supponi suppone supponiamo supponete suppongono		
	PRE. PRO.	sto	supponendo	
	IMPERFETTO	supponevo supponevi supponeva supponevamo supponevate supponevano		
	PASS. PROS.	ho	supposto	
	PASSATO REMOTO	supposi supponesti suppose supponemmo supponeste supposero		
	FUTURO SEMPLICE	supporrò supporrai supporrà supporremo supporrete supporranno		di aver capito tutto
CONDIZIONALE	PRESENTE	supporrei supporresti supporrebbe supporremmo supporreste supporrebbero		
IMPERATIVO	PRESENTE	– supponi supponga supponiamo supponete suppongano		
CONGIUNTIVO	PRESENTE	Pensa	che	io supponga tu supponga lui (lei, Lei) supponga noi supponiamo voi supponiate loro suppongano
	IMPERFETTO	Pensò Pensava Ha pensato	che	io supponessi tu supponessi lui (lei, Lei) supponesse noi supponessimo voi supponeste loro supponessero

Infinito		**SVENIRE**		
INDICATIVO	PRESENTE	**svengo** **svieni** **sviene** sveniamo svenite **svengono**		per finta
	PRE PRO	sto	svenendo	
	IMPERFETTO	svenivo svenivi sveniva svenivamo svenivate svenivano		
	PASS PROS	sono	**svenuto/a**	
	PASSATO REMOTO	**svenni** svenisti **svenne** svenimmo sveniste **svennero**		
	FUTURO SEMPLICE	svenirò svenirai svenirà sveniremo svenirete sveniranno		
CONDIZIONALE	PRESENTE	svenirei sveniresti svenirebbe sveniremmo svenireste svenirebbero		
IMPERATIVO	PRESENTE	– svieni **svenga** sveniamo svenite **svengano**		
CONGIUNTIVO	PRESENTE	Pensa	che	io **svenga** tu **svenga** lui (lei, Lei) **svenga** noi sveniamo voi sveniate loro **svengano**
	IMPERFETTO	Pensò Pensava Ha pensato	che	io svenissi tu svenissi lui (lei, Lei) svenisse noi svenissimo voi sveniste loro svenissero

172

Infinito		SVOLGERE			
INDICATIVO	PRESENTE	svolgo svolgi svolge svolgiamo svolgete svolgono			
	PRE. PRO.	sto	svolgendo		
	IMPERFETTO	svolgevo svolgevi svolgeva svolgevamo svolgevate svolgevano			
	PASS. PROS.	ho	**svolto**		
	PASSATO REMOTO	**svolsi** svolgesti **svolse** svolgemmo svolgeste **svolsero**			
	FUTURO SEMPLICE	svolgerò svolgerai svolgerà svolgeremo svolgerete svolgeranno			un difficile tema
CONDIZIONALE	PRESENTE	svolgerei svolgeresti svolgerebbe svolgeremmo svolgereste svolgerebbero			
IMPERATIVO	PRESENTE	— svolgi svolga svolgiamo svolgete svolgano			
CONGIUNTIVO	PRESENTE	Pensa	che	io svolga tu svolga lui (lei, Lei) svolga noi svolgiamo voi svolgiate loro svolgano	
	IMPERFETTO	Pensò Pensava Ha pensato	che	io svolgessi tu svolgessi lui (lei, Lei) svolgesse noi svolgessimo voi svolgeste loro svolgessero	

Infinito		**TACERE**		
INDICATIVO	PRESENTE	**taccio** taci tace **tacciamo** tacete **tacciono**		per non sbagliare
	PRES. PROG.	sto	tacendo	
	IMPERFETTO	tacevo tacevi taceva tacevamo tacevate tacevano		
	PASS. PROS.	ho	**taciuto**	
	PASSATO REMOTO	**tacqui** tacesti **tacque** tacemmo taceste **tacquero**		
	FUTURO SEMPLICE	tacerò tacerai tacerà taceremo tacerete taceranno		
CONDIZIONALE	PRESENTE	tacerei taceresti tacerebbe taceremmo tacereste tacerebbero		
IMPERATIVO	PRESENTE	– taci **taccia** **tacciamo** tacete **tacciano**		
CONGIUNTIVO	PRESENTE	Pensa	che	io **taccia** tu **taccia** lui (lei, Lei) **taccia** noi **tacciamo** voi **tacciate** loro **tacciano**
	IMPERFETTO	Pensò Pensava Ha pensato	che	io tacessi tu tacessi lui (lei, Lei) tacesse noi tacessimo voi taceste loro tacessero

Infinito		**TENERE ***			
INDICATIVO	PRESENTE	**tengo** **tieni** **tiene** teniamo tenete **tengono**			
	PRES PROG	sto	tenendo		
	IMPERFETTO	tenevo tenevi teneva tenevamo tenevate tenevano			
	PASS PROS	ho	tenuto		
	PASSATO REMOTO	**tenni** tenesti **tenne** tenemmo teneste **tennero**			
	FUTURO SEMPLICE	**terrò** **terrai** **terrà** **terremo** **terrete** **terranno**			il bambino per mano
CONDIZIONALE	PRESENTE	**terrei** **terresti** **terrebbe** **terremmo** **terreste** **terrebbero**			
IMPERATIVO	PRESENTE	– **tieni** **tenga** **teniamo** **tenete** **tengano**			
CONGIUNTIVO	PRESENTE	Pensa	che	io **tenga** tu **tenga** lui (lei, Lei) **tenga** noi teniamo voi teniate loro **tengano**	
	IMPERFETTO	Pensò Pensava Ha pensato	che	io tenessi tu tenessi lui (lei, Lei) tenesse noi tenessimo voi teneste loro tenessero	

* Si coniugano come Tenere: *Contenere, Detenere.*

Infinito		**TOGLIERE**			
INDICATIVO	PRESENTE	**tolgo** **togli** toglie **togliamo** togliete **tolgono**			
	PRE PRO	sto	togliendo		
	IMPERFETTO	toglievo toglievi toglieva toglievamo toglievate toglievano			
	PASS PROS	ho	**tolto**		
	PASSATO REMOTO	**tolsi** togliesti **tolse** togliemmo toglieste **tolsero**			il cappotto dalla sedia
	FUTURO SEMPLICE	toglierò toglierai toglierà toglieremo toglierete toglieranno			
CONDIZIONALE	PRESENTE	toglierei toglieresti toglierebbe toglieremmo togliereste toglierebbero			
IMPERATIVO	PRESENTE	— **togli** **tolga** **togliamo** togliete **tolgano**			
CONGIUNTIVO	PRESENTE	Pensa	che	io **tolga** tu **tolga** lui (lei, Lei) **tolga** noi **togliamo** voi **togliate** loro **tolgano**	
	IMPERFETTO	Pensò Pensava Ha pensato	che	io togliessi tu togliessi lui (lei, Lei) togliesse noi togliessimo voi toglieste loro togliessero	

176

Infinito		**TRADURRE**			
INDICATIVO	PRESENTE	traduco traduci traduce traduciamo traducete traducono			
	PRE. PRO.	sto	traducendo		
	IMPERFETTO	traducevo traducevi traduceva traducevamo traducevate traducevano			
	PASS. PROS.	ho	tradotto		
	PASSATO REMOTO	tradussi traducesti tradusse traducemmo traduceste tradussero			
	FUTURO SEMPLICE	tradurrò tradurrai tradurrà tradurremo tradurrete tradurranno			un romanzo inglese
CONDIZIONALE	PRESENTE	tradurrei tradurresti tradurrebbe tradurremmo tradurreste tradurrebbero			
IMPERATIVO	PRESENTE	– traduci traduca traduciamo traducete traducano			
CONGIUNTIVO	PRESENTE	Pensa	che	io **traduca** tu **traduca** lui (lei, Lei) **traduca** noi **traduciamo** voi **traduciate** loro **traducano**	
	IMPERFETTO	Pensò Pensava Ha pensato	che	io **traducessi** tu **traducessi** tu (lei, Lei) **traducesse** noi **traducessimo** voi **traduceste** loro **traducessero**	

Infinito				TRARRE *		
I N D I C A T I V O	PRESENTE	traggo trai trae traiamo traete traggono				ispirazione da una storia vera
	PRE. PRO.	sto	traendo			
	IMPERFETTO	traevo traevi traeva traevamo traevate traevano				
	PASS. PROS.	ho	tratto			
	PASSATO REMOTO	trassi traesti trasse traemmo traeste trassero				
	FUTURO SEMPLICE	trarrò trarrai trarrà trarremo trarrete trarranno				
CONDIZIONALE	PRESENTE	trarrei trarresti trarrebbe trarremmo trarreste trarrebbero				
IMPERATIVO	PRESENTE	– trai tragga traiamo traete traggano				
C O N G I U N T I V O	PRESENTE	Pensa	che	io **tragga** tu **tragga** lui (lei, Lei) **tragga** noi **traiamo** voi **traiate** loro **traggano**		
	IMPERFETTO	Pensò Pensava Ha pensato	che	io **traessi** tu **traessi** lui (lei, Lei) **traesse** noi **traessimo** voi **traeste** loro **traessero**		

* Si coniugano come Trarre: *Attrarre, Contrarre, Detrarre, Distrarre, Estrarre, Protrarre, Ritrarre, Sottrarre.*

Infinito			TRASCORRERE			
INDICATIVO		PRESENTE	trascorro trascorri trascorre trascorriamo trascorrete trascorrono			
		PRES. PROG.	sto	trascorrendo		
		IMPERFETTO	trascorrevo trascorrevi trascorreva trascorrevamo trascorrevate trascorrevano			
		PASS. PROS.	ho	**trascorso**		
		PASSATO REMOTO	**trascorsi** trascorresti **trascorse** trascorremmo trascorreste **trascorsero**			le vacanze al mare
		FUTURO SEMPLICE	trascorrerò trascorrerai trascorrerà trascorreremo trascorrerete trascorreranno			
CONDIZIONALE		PRESENTE	trascorrerei trascorreresti trascorrerebbe trascorreremmo trascorrereste trascorrerebbero			
IMPERATIVO		PRESENTE	– trascorri trascorra trascorriamo trascorrete trascorranno			
CONGIUNTIVO		PRESENTE	Pensa	che	io trascorra tu trascorra lui (lei, Lei) trascorra noi trascorriamo voi trascorriate loro trascorrano	
		IMPERFETTO	Pensò Pensava Ha pensato	che	io trascorressi tu trascorressi lui (lei, Lei) trascorresse noi trascorressimo voi trascorreste loro trascorressero	

Infinito		**TRATTENERE ***		
I N D I C A T I V O	PRESENTE	**trattengo** **trattieni** **trattiene** tratteniamo trattenete **trattengono**		un amico a cena
	PRE PRO	sto	trattenendo	
	IMPERFETTO	trattenevo trattenevi tratteneva trattenevamo trattenevate trattenevano		
	PASS PROS	ho	trattenuto	
	PASSATO REMOTO	**trattenni** trattenesti **trattenne** trattenemmo tratteneste **trattennero**		
	FUTURO SEMPLICE	**tratterrò** **tratterrai** **tratterrà** **tratterremo** **tratterrete** **tratterranno**		
CONDIZIONALE	PRESENTE	**tratterrei** **tratterresti** **tratterrebbe** **tratterremmo** **tratterreste** **tratterrebbero**		
IMPERATIVO	PRESENTE	– **trattieni** **trattenga** tratteniamo trattenete **trattengano**		
C O N G I U N T I V O	PRESENTE	Pensa	che	io **trattenga** tu **trattenga** lui (lei, Lei) **trattenga** noi tratteniamo voi tratteniate loro **trattengano**
	IMPERFETTO	Pensò Pensava Ha pensato	che	io trattenessi tu trattenessi lui (lei, Lei) trattenesse noi trattenessimo voi tratteneste loro trattenessero

* Si coniuga come Trattenere: *Intrattenere.*

Infinito		**UCCIDERE**			
INDICATIVO	PRESENTE	uccido uccidi uccide uccidiamo uccidete uccidono			a sangue freddo
	PRE PRO	sto	uccidendo		
	IMPERFETTO	uccidevo uccidevi uccideva uccidevamo uccidevate uccidevano			
	PASS PROS	ho	**ucciso**		
	PASSATO REMOTO	**uccisi** uccidesti **uccise** uccidemmo uccideste **uccisero**			
	FUTURO SEMPLICE	ucciderò ucciderai ucciderà uccideremo ucciderete uccideranno			
CONDIZIONALE	PRESENTE	ucciderei uccideresti ucciderebbe uccideremmo uccidereste ucciderebbero			
IMPERATIVO	PRESENTE	– uccidi uccida uccidiamo uccidete uccidano			
CONGIUNTIVO	PRESENTE	Pensa	che	io uccida tu uccida lui (lei, Lei) uccida noi uccidiamo voi uccidiate loro uccidano	
	IMPERFETTO	Pensò Pensava Ha pensato	che	io uccidessi tu uccidessi lui (lei, Lei) uccidesse noi uccidessimo voi uccideste loro uccidessero	

Infinito		**UDIRE**				
INDICATIVO	PRESENTE	**odo** **odi** **ode** udiamo udite **odono**				
	PRE PRO	sto	udendo			
	IMPERFETTO	udivo udivi udiva udivamo udivate udivano				
	PASS PROS	ho	udito			
	PASSATO REMOTO	udii udisti udì udimmo udiste udirono				
	FUTURO SEMPLICE	udirò udirai udirà udiremo udirete udiranno				uno strano rumore
CONDIZIONALE	PRESENTE	udirei udiresti udirebbe udiremmo udireste udirebbero				
IMPERATIVO	PRESENTE	— **odi** **oda** udiamo udite **odano**				
CONGIUNTIVO	PRESENTE	Pensa	che	io **oda** tu **oda** lui (lei, Lei) **oda** noi udiamo voi udiate loro **odano**		
	IMPERFETTO	Pensò Pensava Ha pensato	che	io udissi tu udissi lui (lei, Lei) udisse noi udissimo voi udiste loro udissero		

Infinito		**USCIRE**			
INDICATIVO	PRESENTE	**esco** **esci** **esce** usciamo uscite **escono**			per comprare le sigarette
	PRE. PRO.	sto	uscendo		
	IMPERFETTO	uscivo uscivi usciva uscivamo uscivate uscivate			
	PASS. PROS.	sono	uscito/a		
	PASSATO REMOTO	uscii uscisti uscì uscimmo usciste uscirono			
	FUTURO SEMPLICE	uscirò uscirai uscirà usciremo uscirete usciranno			
CONDIZIONALE	PRESENTE	uscirei usciresti uscirebbe usciremmo uscireste uscirebbero			
IMPERATIVO	PRESENTE	— **esci** **esca** usciamo uscite **escano**			
CONGIUNTIVO	PRESENTE	Pensa	che	io **esca** tu **esca** lui (lei, Lei) **esca** noi usciamo voi usciate loro **escano**	
	IMPERFETTO	Pensò Pensava Ha pensato	che	io uscissi tu uscissi lui (lei, Lei) uscisse noi uscissimo voi usciste loro uscissero	

Infinito		**VALERE**			
		PRESENTE	**valgo** vali vale valiamo valete **valgono**		
		PRE. PRO.		*	
		IMPERFETTO	valevo valevi valeva valevamo valevate valevano		
INDICATIVO		PASS. PROS.	sono	**valso/a**	
		PASSATO REMOTO	**valsi** valesti **valse** valemmo valeste **valsero**		
		FUTURO SEMPLICE	**varrò** **varrai** **varrà** **varremo** **varrete** **varranno**		molto
CONDIZIONALE		PRESENTE	**varrei** **varresti** **varrebbe** **varremmo** **varreste** **varrebbero**		
IMPERATIVO		PRESENTE	———		
CONGIUNTIVO		PRESENTE	Pensa	che	io **valga** tu **valga** lui (lei, Lei) **valga** noi valiamo voi valiate loro **valgano**
		IMPERFETTO	Pensò Pensava Ha pensato	che	io valessi tu valessi lui (lei, Lei) valesse noi valessimo voi valeste loro valessero

* Il gerundio è: *valendo.*

Infinito		**VEDERE ***			
I N D I C A T I V O	PRESENTE	vedo vedi vede vediamo vedete vedono			un bel film
	PRE. PRO.	sto	vedendo		
	IMPERFETTO	vedevo vedevi vedeva vedevamo vedevate vedevano			
	PASS. PROS.	ho	**visto** (veduto)		
	PASSATO REMOTO	**vidi** vedesti **vide** vedemmo vedeste **videro**			
	FUTURO SEMPLICE	**vedrò** **vedrai** **vedrà** **vedremo** **vedrete** **vedranno**			
CONDIZIONALE	PRESENTE	**vedrei** **vedresti** **vedrebbe** **vedremmo** **vedreste** **vedrebbero**			
IMPERATIVO	PRESENTE	– vedi veda vediamo vedete vedano			
C O N G I U N T I V O	PRESENTE	Pensa	che	io veda tu veda lui (lei, Lei) veda noi vediamo voi vediate loro vedano	
	IMPERFETTO	Pensò Pensava Ha pensato	che	io vedessi tu vedessi lui (lei, Lei) vedesse noi vedessimo voi vedeste loro vedessero	

* Si coniugano come Vedere: *Intravedere, Rivedere, Stravedere.*

Infinito		**VENIRE ***			
INDICATIVO	PRESENTE	**vengo** **vieni** **viene** veniamo venite **vengono**			a lezione a piedi
	PRES. PROG.	sto	venendo		
	IMPERFETTO	venivo venivi veniva venivamo venivate venivano			
	PASS. PROS.	sono	**venuto/a**		
	PASSATO REMOTO	**venni** venisti **venne** venimmo veniste **vennero**			
	FUTURO SEMPLICE	**verrò** **verrai** **verrà** **verremo** **verrete** **verranno**			
CONDIZIONALE	PRESENTE	**verrei** **verresti** **verrebbe** **verremmo** **verreste** **verrebbero**			
IMPERATIVO	PRESENTE	— **vieni** **venga** veniamo venite **vengano**			
CONGIUNTIVO	PRESENTE	Pensa	che	io **venga** tu **venga** lui (lei, Lei) **venga** noi veniamo voi veniate loro **vengano**	
	IMPERFETTO	Pensò Pensava Ha pensato	che	io venissi tu venissi lui (lei, Lei) venisse noi venissimo voi veniste loro venissero	

* Si coniugano come Venire: *Divenire, Intervenire, Pervenire, Prevenire* (av.), *Provenire*.

Infinito					VINCERE *	
I N D I C A T I V O	PRESENTE	vinco vinci vince vinciamo vincete vincono				
	PRE. PRO.	sto	vincendo			
	IMPERFETTO	vincevo vincevi vinceva vincevamo vincevate vincevano				
	PASS. PROS.	ho	**vinto**			
	PASSATO REMOTO	**vinsi** vincesti **vinse** vincemmo vinceste **vinsero**				molti soldi a carte
	FUTURO SEMPLICE	vincerò vincerai vincerà vinceremo vincerete vinceranno				
CONDIZIONALE	PRESENTE	vincerei vinceresti vincerebbe vinceremmo vincereste vincerebbero				
IMPERATIVO	PRESENTE	– vinci vinca vinciamo vincete vincano				
C O N G I U N T I V O	PRESENTE	Pensa		che	io vinca tu vinca lui (lei, Lei) vinca noi vinciamo voi vinciate loro vincano	
	IMPERFETTO	Pensò Pensava Ha pensato		che	io vincessi tu vincessi lui (lei, Lei) vincesse noi vincessimo voi vinceste loro vincessero	

* Si coniugano come Vincere: *Rivincere, Stravincere*.

Infinito					VIVERE *	
INDICATIVO	PRESENTE	vivo vivi vive viviamo vivete vivono				bene
	PRE. PRO.	sto	vivendo			
	IMPERFETTO	vivevo vivevo viveva vivevamo vivevate vivevano				
	PASS. PROS.	** sono	**vissuto/a**			
	PASSATO REMOTO	**vissi** vivesti **visse** vivemmo viveste **vissero**				
	FUTURO SEMPLICE	**vivrò** **vivrai** **vivrà** **vivremo** **vivrete** **vivranno**				
CONDIZIONALE	PRESENTE	**vivrei** **vivresti** **vivrebbe** **vivremmo** **vivreste** **vivrebbero**				
IMPERATIVO	PRESENTE	– vivi viva viviamo vivete vivano				
CONGIUNTIVO	PRESENTE	Pensa		che	io viva tu viva lui (lei, Lei) viva noi viviamo voi viviate loro vivano	
	IMPERFETTO	Pensò Pensava Ha pensato		che	io vivessi tu vivessi lui (lei, Lei) vivesse noi vivessimo voi viveste loro vivessero	

* Si coniugano come Vivere: *Convivere, Sopravvivere.*
** Usato transitivamente, *Vivere* prende l'aus. *avere.*

Infinito				**VOLERE** *			
I N D I C A T I V O	PRESENTE		**voglio** **vuoi** **vuole** **vogliamo** volete **vogliono**				visitare la città
	PRE. PRO.			**			
	IMPERFETTO		volevo volevi voleva volevamo volevate volevano				
	PASS. PROS.		ho sono	voluto voluto/a			partire
	PASSATO REMOTO		**volli** volesti **volle** volemmo voleste **vollero**				
	FUTURO SEMPLICE		**vorrò** **vorrai** **vorrà** **vorremo** **vorrete** **vorranno**				visitare la città
CONDIZIONALE	PRESENTE		**vorrei** **vorresti** **vorrebbe** **vorremmo** **vorreste** **vorrebbero**				
IMPERATIVO	PRESENTE		———				
C O N G I U N T I V O	PRESENTE		Pensa	che	io **voglia** tu **voglia** lui (lei, Lei) **voglia** noi **vogliamo** voi **vogliate** loro **vogliano**		** Il gerundio è: *volendo*.
	IMPERFETTO		Pensò Pensava Ha pensato	che	io volessi tu volessi lui (lei, Lei) volesse noi volessimo voi voleste loro volessero		

* Usato come verbo servile, può coniugarsi con l'aus. Avere o Essere secondo l'infinito con cui si unisce. Usato in senso assoluto si coniuga con l'ausiliare Avere. *(Es.: È venuta Maria alla tua festa? No, non ha voluto).*

Infinito					VOLGERE *	
INDICATIVO	PRESENTE	volgo volgi volge volgiamo volgete volgono				Io sguardo al cielo
	PRES. PROG.	sto	volgendo			
	IMPERFETTO	volgevo volgevi volgeva volgevamo volgevate volgevano				
	PASS. PROS.	ho	**volto**			
	PASSATO REMOTO	**volsi** volgesti **volse** volgemmo volgeste **volsero**				
	FUTURO SEMPLICE	volgerò volgerai volgerà volgeremo volgerete volgeranno				
CONDIZIONALE	PRESENTE	volgerei volgeresti volgerebbe volgeremmo volgereste volgerebbero				
IMPERATIVO	PRESENTE	– volgi volga volgiamo volgete volgano				
CONGIUNTIVO	PRESENTE	Pensa		che	io volga tu volga lui (lei, Lei) volga noi volgiamo voi volgiate loro volgano	
	IMPERFETTO	Pensò Pensava Ha pensato		che	io volgessi tu volgessi lui (lei, Lei) volgesse noi volgessimo voi volgeste loro volgessero	

* Si coniugano come Volgere: *Avvolgere, Coinvolgere, Sconvolgere, Stravolgere, Travolgere.*

Mi dispiace partire, se **potessi** rimarrei volentieri!

SCHEMA RIASSUNTIVO DEL PERIODO IPOTETICO

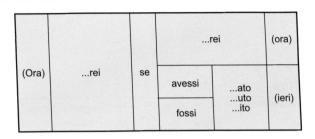

Ora andrei al centro se fossi libero.

Ora pagherei l'affitto, se avessi ricevuto i soldi.

Ora saprei fare l'esercizio, se fossi andato a lezioni ieri.

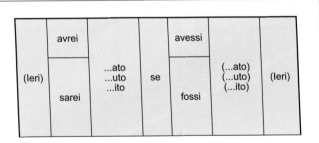

Ti avrei salutato se ti avessi riconosciuto.

Sarei venuto alla festa se tu mi avessi invitato.

Infinito		**AFFIGGERE**		
	presente:	affiggo	affiggi	affigge
		affiggiamo	affiggete	affiggono
	pres. prog.:	sto affiggendo		
	imperfetto:	affiggevo	affiggevi	affiggeva
INDICATIVO		affiggevamo	affiggevate	affiggevano
	pass. pross.:	ho **affisso**		
	pass. remoto:	**affissi**	affiggesti	**affisse**
		affiggemmo	affiggeste	**affissero**
	futuro semplice:	affiggerò	affiggerai	affiggerà
		affiggeremo	affiggerete	affiggeranno
CONDIZIONALE:				
	presente:	affiggerei	affiggeresti	affiggerebbe
		affiggeremmo	affiggereste	affiggerebbero
IMPERATIVO:				
	presente:	–	affiggi	affigga
		affiggiamo	affiggete	affiggano
CONGIUNTIVO	*presente:*	affigga	affigga	affigga
		affiggiamo	affiggiate	affiggano
	imperfetto:	affiggessi	affiggessi	affiggesse
		affiggessimo	affiggeste	affiggessero

Infinito		**AFFLIGGERE**		
	presente:	affliggo	affliggi	affligge
		affliggiamo	affliggete	affliggono
	pres. prog.:	sto affliggendo		
	imperfetto:	affliggevo	affliggevi	affliggeva
INDICATIVO		affliggevamo	affliggevate	affliggevano
	pass. pross.:	ho **afflisso**		
	pass. remoto:	**afflissi**	affliggesti	**afflisse**
		affliggemmo	affliggeste	**afflissero**
	futuro semplice:	affliggerò	affliggerai	affliggerà
		affliggeremo	affliggerete	affliggeranno
CONDIZIONALE:				
	presente:	affliggerei	affliggeresti	affliggerebbe
		affliggeremmo	affliggereste	affliggerebbero
IMPERATIVO:				
	presente:	–	affliggi	affligga
		affliggiamo	affliggete	affliggano
CONGIUNTIVO	*presente:*	affligga	affligga	affligga
		affliggiamo	affliggiate	affliggano
	imperfetto:	affliggessi	affliggessi	affliggesse
		affliggessimo	affliggeste	affliggessero

Infinito		**ANNETTERE**		
	presente:	annetto	annetti	annette
		annettiamo	annettete	annettono
	pres. prog.:	sto annettendo		
	imperfetto:	annettevo	annettevi	annetteva
		annettevamo	annettevate	annettevano
INDICATIVO	*pass. pross.:*	ho **annesso**		
	pass. remoto:	**annessi**	annettesti	**annesse**
		annettemmo	annetteste	**annessero**
	futuro semplice:	annetterò	annetterai	annetterà
		annetteremo	annetterete	annetteranno
CONDIZIONALE:				
	presente:	annetterei	annetteresti	annetterebbe
		annetteremmo	annettereste	annetterebbero
IMPERATIVO:				
	presente:	–	annetti	annetta
		annettiamo	annettete	annettano
CONGIUNTIVO	*presente:*	annetta	annetta	annetta
		annettiamo	annettiate	annettano
	imperfetto:	annettessi	annettessi	annettesse
		annettessimo	annetteste	annettessero

Infinito		**ARDERE**		
	presente:	ardo	ardi	arde
		ardiamo	ardete	ardono
	pres. prog.:	sto ardendo		
	imperfetto:	ardevo	ardevi	ardeva
INDICATIVO		ardevamo	ardevate	ardevano
	pass. pross.:	ho **arso**	sono **arso/a**	
	pass. remoto:	**arsi**	ardesti	**arse**
		ardemmo	ardeste	**arsero**
	futuro semplice:	arderò	arderai	arderà
		arderemo	arderete	arderanno
CONDIZIONALE:				
	presente:	arderei	arderesti	arderebbe
		arderemmo	ardereste	arderebbero
IMPERATIVO:				
	presente:	–	ardi	arda
		ardiamo	ardete	ardano
CONGIUNTIVO	*presente:*	arda	arda	arda
		ardiamo	ardiate	ardano
	imperfetto:	ardessi	ardessi	ardesse
		ardessimo	ardeste	ardessero

Infinito	**AVVENIRE**	
INDICATIVO	*presente:*	**avviene** **avvengono**
	pres. prog.:	sta/stanno avvenendo
	imperfetto:	avveniva avvenivano
	pass. pross.:	è avvenuto/a sono avvenuti/e
	pass. remoto:	**avvenne** **avvennero**
	futuro semplice:	**avverrà** **avverranno**
CONDIZIONALE:		
	presente:	**avverrebbe** **avverrebbero**
IMPERATIVO:		
	presente:	–
CONGIUNTIVO	*presente:*	**avvenga** **avvengano**
	imperfetto:	avvenisse avvenissero

Infinito	**CONSISTERE**	
INDICATIVO	*presente:*	consiste consistono
	pres. prog.:	*
	imperfetto:	consisteva consistevano
	pass. pross.:	è **consistito/a** sono **consistiti/e**
	pass. remoto:	consisté (ette) consisterono (ettero)
	futuro semplice:	consisterà consisteranno
CONDIZIONALE:		
	presente:	consisterebbe consisterebbero
IMPERATIVO:		
	presente:	–
CONGIUNTIVO	*presente:*	consista consistano
	imperfetto:	consistesse consistessero

* Il gerundio del verbo consistere è: *consistendo*.

Infinito		**CUCIRE**		
INDICATIVO	*presente:*	cucio	cuci	cuce
		cuciamo	cucite	**cuciono**
	pres. prog.:	sto cucendo		
	imperfetto:	cucivo	cucivi	cuciva
		cucivamo	cucivate	cucivano
	pass. pross.:	ho cucito		
	pass. remoto:	cucii	cucisti	cucì
		cucimmo	cuciste	cucirono
	futuro semplice:	cucirò	cucirai	cucirà
		cuciremo	cucirete	cuciranno
CONDIZIONALE:				
	presente:	cucirei	cuciresti	cucirebbe
		cuciremmo	cucireste	cucirebbero
IMPERATIVO:				
	presente:	–	cuci	**cucia**
		cuciamo	cucite	**cuciano**
CONGIUNTIVO	*presente:*	**cucia**	**cucia**	cucia
		cuciamo	cuciate	**cuciano**
	imperfetto:	cucissi	cucissi	cucisse
		cucissimo	cuciste	cucissero

196

Infinito		**CUOCERE**		
INDICATIVO	*presente:*	**cuocio**	cuoci	cuoce
		cuociamo	cuocete	**cuociono**
	pres. prog.:	sto cuocendo		
	imperfetto:	cuocevo	cuocevi	cuoceva
		cuocevamo	cuocevate	cuocevano
	pass. pross.:	ho **cotto**		
	pass. remoto:	**cossi**	cuocesti	**cosse**
		cuocemmo	cuoceste	**cossero**
	futuro semplice:	cuocerò	cuocerai	cuocerà
		cuoceremo	cuocerete	cuoceranno
CONDIZIONALE:				
	presente:	cuocerei	cuoceresti	cuocerebbe
		cuoceremmo	cuocereste	cuocerebbero
IMPERATIVO:				
	presente:	–	cuoci	**cuocia**
		cuociamo	cuocete	**cuociano**
CONGIUNTIVO	*presente:*	**cuocia**	**cuocia**	cuocia
		cuociamo	cuociate	**cuociano**
	imperfetto:	cuocessi	cuocessi	cuocesse
		cuocessimo	cuoceste	cuocessero

Infinito		**DECORRERE**
INDICATIVO	*presente:*	decorre decorrono
	pres. prog.:	sta/stanno decorrendo
	imperfetto:	decorreva decorrevano
	pass. pross.:	è **decorso/a** sono **decorsi/e**
	pass. remoto:	**decorse** **decorsero**
	futuro semplice:	decorrerà decorreranno
CONDIZIONALE:		
	presente:	decorrerebbe decorrerebbero
IMPERATIVO:		
	presente:	–
CONGIUNTIVO	*presente:*	decorra decorrano
	imperfetto:	decorresse decorressero

Infinito		**DECRESCERE**
INDICATIVO	*presente:*	decresce decrescono
	pres. prog.:	sta/stanno decrescendo
	imperfetto:	decresceva decrescevano
	pass. pross.:	è **decresciuto/a** sono **decresciuti/e**
	pass. remoto:	**decrebbe** **decrebbero**
	futuro semplice:	decrescerà decresceranno
CONDIZIONALE:		
	presente:	decrescerebbe decrescerebbero
IMPERATIVO:		
	presente:	–
CONGIUNTIVO	*presente:*	decresca decrescano
	imperfetto:	decrescesse decrescessero

Infinito		**DEVOLVERE**		
INDICATIVO	*presente:*	devolvo	devolvi	devolve
		devolviamo	devolvete	devolvono
	pres. prog.:	sto devolvendo		
	imperfetto:	devolvevo	devolvevi	devolveva
		devolvevamo	devolvevate	devolvevano
	pass. pross.:	ho **devoluto**		
	pass. remoto:	**devolsi**	devolvesti	**devolse**
		devolvemmo	devolveste	**devolsero**
	futuro semplice:	devolverò	devolverai	devolverà
		devolveremo	devolverete	devolveranno
CONDIZIONALE:				
	presente:	devolverei	devolveresti	devolverebbe
		devolveremmo	devolvereste	devolverebbero
IMPERATIVO:				
	presente:	–	devolvi	devolva
		devolviamo	devolvete	devolvano
CONGIUNTIVO	*presente:*	devolva	devolva	devolva
		devolviamo	devolviate	devolvano
	imperfetto:	devolvessi	devolvessi	devolvesse
		devolvessimo	devolveste	devolvessero

Infinito		**DOLERSI**		
INDICATIVO	*presente:*	mi **dolgo**	ti **duoli**	si **duole**
		ci **dogliamo**	vi dolete	si **dolgono**
	pres. prog.:	mi sto dolendo		
	imperfetto:	mi dolevo	ti dolevi	si doleva
		ci dolevamo	vi dolevate	si dolevano
	pass. pross.:	mi è doluto		
	pass. remoto:	mi **dolsi**	ti dolesti	si **dolse**
		ci dolemmo	vi doleste	si **dolsero**
	futuro semplice:	mi **dorrò**	ti **dorrai**	si **dorrà**
		ci **dorremo**	vi **dorrete**	si **dorranno**
CONDIZIONALE:				
	presente:	mi **dorrei**	ti **dorresti**	si **dorrebbe**
		ci **dorremmo**	vi **dorreste**	si **dorrebbero**
IMPERATIVO:				
	presente:	–	**duoli**ti	si **dolga**
		dogliamoci	**dolete**vi	si **dolgano**
CONGIUNTIVO	*presente:*	mi **dolga**	ti **dolga**	si **dolga**
		ci **dogliamo**	vi **dogliate**	si **dolgano**
	imperfetto:	mi dolessi	ti dolessi	si dolesse
		ci dolessimo	vi doleste	si dolessero

Infinito	**ECCELLERE**		
	presente:	eccello	eccelli	eccelle
		eccelliamo	eccellete	eccellono
	pres. prog.:	sto eccellendo		
INDICATIVO	*imperfetto:*	eccellevo	eccellevi	eccelleva
		eccellevamo	eccellevate	eccellevano
	pass. pross.:	ho **eccelso**/sono **eccelso/a**		
	pass. remoto:	**eccelsi**	eccellesti	**eccelse**
		eccellemmo	eccelleste	**eccelsero**
	futuro semplice:	eccellerò	eccellerai	eccellerà
		eccelleremo	eccellerete	eccelleranno

CONDIZIONALE:

	presente:	eccellerei	eccelleresti	eccellerebbe
		eccelleremmo	eccellereste	eccellerebbero

IMPERATIVO:

	presente:	–	eccelli	eccella
		eccelliamo	eccellete	eccellano

CONGIUNTIVO	*presente:*	eccella	eccella	eccella
		eccelliamo	eccelliate	eccellano
	imperfetto:	eccellessi	eccellessi	eccellesse
		eccellessimo	eccelleste	eccellessero

Infinito	**ESIGERE**		
	presente:	esigo	esigi	esige
		esigiamo	esigete	esigono
	pres. prog.:	sto esigendo		
INDICATIVO	*imperfetto:*	esigevo	esigevi	esigeva
		esigevamo	esigevate	esigevano
	pass. pross.:	*		
	pass. remoto:	esigei(etti)	esigesti	esigé(ette)
		esigemmo	esigeste	esigerono(ettero)
	futuro semplice:	esigerò	esigerai	esigerà
		esigeremo	esigerete	esigeranno

CONDIZIONALE:

	presente:	esigerei	esigeresti	esigerebbe
		esigeremmo	esigereste	esigerebbero

IMPERATIVO:

	presente:	–	esigi	esiga
		esigiamo	esigete	esigano

CONGIUNTIVO	*presente:*	esiga	esiga	esiga
		esigiamo	esigiate	esigano
	imperfetto:	esigessi	esigessi	esigesse
		esigessimo	esigeste	esigessero

* Il participio passato **esatto** si usa in espressioni come "*Somma ancora non esatta*" cioè "*non riscossa*", o "*esatte* € 25.000 per quota d'abbonamento".

Infinito		**ESPELLERE**		
INDICATIVO	*presente:*	espello	espelli	espelle
		espelliamo	espellete	espellono
	pres. prog.:	sto espellendo		
	imperfetto:	espellevo	espellevi	espelleva
		espellevamo	espellevate	espellevano
	pass. pross.:	ho **espulso**		
	pass. remoto:	**espulsi**	espellesti	**espulse**
		espellemmo	espelleste	**espulsero**
	futuro semplice:	espellerò	espellerai	espellerà
		espelleremo	espellerete	espelleranno
CONDIZIONALE:				
	presente:	espellerei	espelleresti	espellerebbe
		espelleremmo	espellereste	espellerebbero
IMPERATIVO:				
	presente:	–	espelli	espella
		espelliamo	espellete	espellano
CONGIUNTIVO	*presente:*	espella	espella	espella
		espelliamo	espelliate	espellano
	imperfetto:	espellessi	espellessi	espellesse
		espellessimo	espelleste	espellessero

200

Infinito		**IMBEVERE**		
INDICATIVO	*presente:*	imbevo	imbevi	imbeve
		imbeviamo	imbevete	imbevono
	pres. prog.:	sto imbevendo		
	imperfetto:	imbevevo	imbevevi	imbeveva
		imbevevamo	imbevevate	imbevevano
	pass. pross.:	ho imbevuto		
	pass. remoto:	**imbevvi**	imbevesti	**imbevve**
		imbevemmo	imbeveste	**imbevvero**
	futuro semplice:	**imberrò**	**imberrai**	**imberrà**
		imberremo	**imberrete**	**imberranno**
CONDIZIONALE:				
	presente:	**imberrei**	**imberresti**	**imberrebbe**
		imberremmo	**imberreste**	**imberrebbero**
IMPERATIVO:				
	presente:	–	imbevi	imbeva
		imbeviamo	imbevete	imbevano
CONGIUNTIVO	*presente:*	imbeva	imbeva	imbeva
		imbeviamo	imbeviate	imbevano
	imperfetto:	imbevessi	imbevessi	imbevesse
		imbevessimo	imbeveste	imbevessero

Infinito		**INDULGERE**		
INDICATIVO	*presente:*	indulgo indulgiamo	indulgi indulgete	indulge indulgono
	pres. prog.:	sto indulgendo		
	imperfetto:	indulgevo indulgevamo	indulgevi indulgevate	indulgeva indulgevano
	pass. pross.:	ho indulto		
	pass. remoto:	**indulsi** indulgemmo	indulgesti indulgeste	**indulse** **indulsero**
	futuro semplice:	indulgerò indulgeremo	indulgerai indulgerete	indulgerà indulgeranno
CONDIZIONALE:				
	presente:	indulgerei indulgeremmo	indulgeresti indulgereste	indulgerebbe indulgerebbero
IMPERATIVO:				
	presente:	– indulgiamo	indulgi indulgete	indulga indulgano
CONGIUNTIVO	*presente:*	indulga indulgiamo	indulga indulgiate	indulga indulgano
	imperfetto:	indulgessi indulgessimo	indulgessi indulgeste	indulgesse indulgessero

Infinito		**INFERIRE**		
INDICATIVO	*presente:*	inferisco inferiamo	inferisci inferite	inferisce inferiscono
	pres. prog.:	sto inferendo		
	imperfetto:	inferivo inferivamo	inferivi inferivate	inferiva inferivano
	pass. pross.:	ho **inferto**		
	pass. remoto:	**infersi** inferimmo	inferisti inferiste	**inferse** **infersero**
	futuro semplice:	inferirò inferiremo	inferirai inferirete	inferirà inferiranno
CONDIZIONALE:				
	presente:	inferirei inferiremmo	inferiresti inferireste	inferirebbe inferirebbero
IMPERATIVO:				
	presente:	– inferiamo	inferisci inferite	inferisca inferiscano
CONGIUNTIVO	*presente:*	inferisca inferiamo	inferisca inferiate	inferisca inferiscano
	imperfetto:	inferissi inferissimo	inferissi inferiste	inferisse inferissero

Infinito		**INTERCORRERE**
INDICATIVO	*presente:*	intercorre intercorrono
	pres. prog.:	sta/stanno intercorrendo
	imperfetto:	intercorreva intercorrevano
	pass. pross.:	è **intercorso/a** sono **intercorsi/e**
	pass. remoto:	**intercorse** **intercorsero**
	futuro semplice:	intercorrerà intercorreranno

CONDIZIONALE:	
presente:	intercorrerebbe intercorrerebbero

IMPERATIVO:	
presente:	–

CONGIUNTIVO	*presente:*	intercorra intercorrano
	imperfetto:	intercorresse intercorressero

Infinito		**LEDERE**		
INDICATIVO	*presente:*	ledo lediamo	ledi ledete	lede ledono
	pres. prog.:	sto ledendo		
	imperfetto:	ledevo ledevamo	ledevi ledevate	ledeva ledevano
	pass. pross.:	ho **leso**		
	pass. remoto:	**lesi** ledemmo	ledesti ledeste	**lese** **lesero**
	futuro semplice:	lederò lederemo	lederai lederete	lederà lederanno

CONDIZIONALE:			
presente:	lederei lederemmo	lederesti ledereste	lederebbe lederebbero

IMPERATIVO:			
presente:	– lediamo	ledi ledete	leda ledano

CONGIUNTIVO	*presente:*	leda lediamo	leda lediate	leda ledano
	imperfetto:	ledessi ledessimo	ledessi ledeste	ledesse ledessero

Infinito		**MESCERE**		
INDICATIVO	*presente:*	mesco mesciamo	mesci mescete	mesce mescono
	pres. prog.:	sto mescendo		
	imperfetto:	mescevo mescevamo	mescevi mescevate	mesceva mescevano
	pass. pross.:	ho **mesciuto**		
	pass. remoto:	mescei mescemmo	mescesti mesceste	mescé mescerono
	futuro semplice:	mescerò mesceremo	mescerai mescerete	mescerà mesceranno
CONDIZIONALE:				
	presente:	mescerei mesceremmo	mesceresti mescereste	mescerebbe mescerebbero
IMPERATIVO:				
	presente:	– mesciamo	mesci mescete	mesca mescano
CONGIUNTIVO	*presente:*	mesca mesciamo	mesca mesciate	mesca mescano
	imperfetto:	mescessi mescessimo	mescessi mesceste	mescesse mescessero

Infinito		**MORDERE**		
INDICATIVO	*presente:*	mordo mordiamo	mordi mordete	morde mordono
	pres. prog.:	sto mordendo		
	imperfetto:	mordevo mordevamo	mordevi mordevate	mordeva mordevano
	pass. pross.:	ho **morso**		
	pass. remoto:	**morsi** mordemmo	mordesti mordeste	**morse** **morsero**
	futuro semplice:	morderò morderemo	morderai morderete	morderà morderanno
CONDIZIONALE:				
	presente:	morderei morderemmo	morderesti mordereste	morderebbe morderebbero
IMPERATIVO:				
	presente:	– mordiamo	mordi mordete	morda mordano
CONGIUNTIVO	*presente:*	morda mordiamo	morda mordiate	morda mordano
	imperfetto:	mordessi mordessimo	mordessi mordeste	mordesse mordessero

Infinito	**NUOCERE**		
INDICATIVO			
presente:	**nuoccio**	nuoci	nuoce
	nuociamo	nuocete	**nuocciono**
pres. prog.:	sto nuocendo		
imperfetto:	nuocevo	nuocevi	nuoceva
	nuocevamo	nuocevate	nuocevano
pass. pross.:	ho **nuociuto**		
pass. remoto:	**nocqui**	nuocesti	**nocque**
	nuocemmo	nuoceste	**nocquero**
futuro semplice:	nuocerò	nuocerai	nuocerà
	nuoceremo	nuocerete	nuoceranno
CONDIZIONALE:			
presente:	nuocerei	nuoceresti	nuocerebbe
	nuoceremmo	nuocereste	nuocerebbero
IMPERATIVO:			
presente:	–	nuoci	**nuoccia**
	nuociamo	nocete	**nuocciano**
CONGIUNTIVO			
presente:	**nuoccia**	**nuoccia**	**nuoccia**
	nuociamo	**nuociate**	**nuocciano**
imperfetto:	nuocessi	nuocessi	nuocesse
	nuocessimo	nuoceste	nuocessero

204

Infinito	**REDIGERE**		
INDICATIVO			
presente:	redigo	redigi	redige
	redigiamo	redigete	redigono
pres. prog.:	sto redigendo		
imperfetto:	redigevo	redigevi	redigeva
	redigevamo	redigevate	redigevano
pass. pross.:	ho **redatto**		
pass. remoto:	**redassi**	redigesti	**redasse**
	redigemmo	redigeste	**redassero**
futuro semplice:	redigerò	redigerai	redigerà
	redigeremo	redigerete	redigeranno
CONDIZIONALE:			
presente:	redigerei	redigeresti	redigerebbe
	redigeremmo	redigereste	redigerebbero
IMPERATIVO:			
presente:	–	redigi	rediga
	redigiamo	redigete	redigano
CONGIUNTIVO			
presente:	rediga	rediga	rediga
	redigiamo	redigiate	redigano
imperfetto:	redigessi	redigessi	redigesse
	redigessimo	redigeste	redigessero

Infinito		**REDIMERE**		
INDICATIVO	*presente:*	redimo	redimi	redime
		redimiamo	redimete	redimono
	pres. prog.:	sto redimendo		
	imperfetto:	redimevo	redimevi	redimeva
		redimevamo	redimevate	redimevano
	pass. pross.:	ho **redento**		
	pass. remoto:	**redensi**	redimesti	**redense**
		redimemmo	redimeste	**redensero**
	futuro semplice:	redimerò	redimerai	redimerà
		redimeremo	redimerete	redimeranno
CONDIZIONALE:				
	presente:	redimerei	redimeresti	redimerebbe
		redimeremmo	redimereste	redimerebbero
IMPERATIVO:				
	presente:	–	redimi	redima
		redimiamo	redimete	redimano
CONGIUNTIVO	*presente:*	redima	redima	redima
		redimiamo	redimiate	redimano
	imperfetto:	redimessi	redimessi	redimesse
		redimessimo	redimeste	redimessero

Infinito		**RINCRESCERE**
INDICATIVO	*presente:*	rincresce
	pres. prog.:	sta rincrescendo
	imperfetto:	rincresceva
	pass. pross.:	è **rincresciuto**
	pass. remoto:	**rincrebbe**
	futuro semplice:	rincrescerà
CONDIZIONALE:		
	presente:	rincrescerebbe
IMPERATIVO:		
	presente:	–
CONGIUNTIVO	*presente:*	rincresca
	imperfetto:	rincrescesse

Infinito		**RODERE**		
INDICATIVO	presente:	rodo	rodi	rode
		rodiamo	rodete	rodono
	pres. prog.:	sto rodendo		
	imperfetto:	rodevo	rodevi	rodeva
		rodevamo	rodevate	rodevano
	pass. pross.:	ho **roso**		
	pass. remoto:	**rosi**	rodesti	**rose**
		rodemmo	rodeste	**rosero**
	futuro semplice:	roderò	roderai	roderà
		roderemo	roderete	roderanno
CONDIZIONALE:				
	presente:	roderei	roderesti	roderebbe
		roderemmo	rodereste	roderebbero
IMPERATIVO:				
	presente:	–	rodi	roda
		rodiamo	rodete	rodano
CONGIUNTIVO	presente:	roda	roda	roda
		rodiamo	rodiate	rodano
	imperfetto:	rodessi	rodessi	rodesse
		rodessimo	rodeste	rodessero

Infinito		**SCINDERE**		
INDICATIVO	presente:	scindo	scindi	scinde
		scindiamo	scindete	scindono
	pres. prog.:	sto scindendo		
	imperfetto:	scindevo	scindevi	scindeva
		scindevamo	scindevate	scindevano
	pass. pross.:	ho **scisso**		
	pass. remoto:	**scissi**	scindesti	**scisse**
		scindemmo	scindeste	**scissero**
	futuro semplice:	scinderò	scinderai	scinderà
		scinderemo	scinderete	scinderanno
CONDIZIONALE:				
	presente:	scinderei	scinderesti	scinderebbe
		scinderemmo	scindereste	scinderebbero
IMPERATIVO:				
	presente:	–	scindi	scinda
		scindiamo	scindete	scindano
CONGIUNTIVO	presente:	scinda	scinda	scinda
		scindiamo	scindiate	scindano
	imperfetto:	scindessi	scindessi	scindesse
		scindessimo	scindeste	scindessero

Infinito		**SCUOTERE**		
INDICATIVO	*presente:*	scuoto scuotiamo	scuoti scuotete	scuote scuotono
	pres. prog.:	sto scuotendo		
	imperfetto:	scuotevo scuotevamo	scuotevi scuotevate	scuoteva scuotevano
	pass. pross.:	ho **scosso**		
	pass. remoto:	**scossi** scuotemmo	scuotesti scuoteste	**scosse** **scossero**
	futuro semplice:	scuoterò scuoteremo	scuoterai scuoterete	scuoterà scuoteranno
CONDIZIONALE:				
	presente:	scuoterei scuoteremmo	scuoteresti scuotereste	scuoterebbe scuoterebbero
IMPERATIVO:				
	presente:	– scuotiamo	scuoti scuotete	scuota scuotano
CONGIUNTIVO	*presente:*	scuota scuotiamo	scuota scuotiate	scuota scuotano
	imperfetto:	scuotessi scuotessimo	scuotessi scuoteste	scuotesse scuotessero

Infinito		**TORCERE**		
INDICATIVO	*presente:*	torco torciamo	torci torcete	torce torcono
	pres. prog.:	sto torcendo		
	imperfetto:	torcevo torcevamo	torcevi torcevate	torceva torcevano
	pass. pross.:	ho **torto**		
	pass. remoto:	**torsi** torcemmo	torcesti torceste	**torse** **torsero**
	futuro semplice:	torcerò torceremo	torcerai torcerete	torcerà torceranno
CONDIZIONALE:				
	presente:	torcerei torceremmo	torceresti torcereste	torcerebbe torcerebbero
IMPERATIVO:				
	presente:	– torciamo	torci torcete	torca torcano
CONGIUNTIVO	*presente:*	torca torciamo	torca torciate	torca torcano
	imperfetto:	torcessi torcessimo	torcessi torceste	torcesse torcessero

ELENCO DEI VERBI PRESENTATI

A

211

E

F

214

L

M

216

R

U

V

Z

Indice

Finito di stampare nel mese di Luglio 2007
da Guerra guru s.r.l. - Via A. Manna, 25 - 06132 Perugia
Tel. +39 075 5289090 - Fax +39 075 5288244
E-mail: info@guerra-edizioni.com